CW00543738

Iván el Terrible

Una guía fascinante del primer zar de Rusia y su impacto en la historia de Rusia

Índice

INTRODUCCIÓN 1

CAPÍTULO 1 - RUSIA ANTES DEL PRIMER ZAR...........................3

CAPÍTULO 2 - UN LINAJE DE HÉROES 8

CAPÍTULO 3 - EL NACIMIENTO DE UN EMPERADOR 14

CAPÍTULO 4 - ASESINATO 20

CAPÍTULO 5 - VOLVIÉNDOSE TERRIBLE......................................25

CAPÍTULO 6 - LA CORONACIÓN DEL PRIMER ZAR 31

CAPÍTULO 7 - UN JOVEN GOBERNANTE AMBICIOSO 36

CAPÍTULO 8 - LIBROS Y CATEDRALES 42

CAPÍTULO 9 - LA MUERTE EN LA FAMILIA 50

CAPÍTULO 10 - TRAICIÓN 57

CAPÍTULO 11 – VENGANZA 64

CAPÍTULO 12 - EL FRACASO DE LOS OPRÍCHNIKI.....................72

CAPÍTULO 13 - DOS ASESINATOS 80

CAPÍTULO 14 - EL LEGADO DE IVÁN «EL TERRIBLE» 89

CONCLUSIÓN..96

VEA MÁS LIBROS ESCRITOS POR CAPTIVATING HISTORY 98

FUENTES 99

Introducción

Considerando que ha pasado a la historia como Iván el Terrible, el primer zar de Rusia difícilmente podría haber sido un Boy Scout. Como su nombre lo indica, Iván tuvo una fama totalmente aterradora durante su reinado de treinta y siete años.

Desde su primera ejecución a la tierna edad de trece años cuando hizo que un noble fuera lanzado a una jaula llena de perros hambrientos y vio como era despedazado, Iván tuvo una reputación de brutalidad fundamentada en verdades horribles. Masacró una ciudad entera, envenenó a su propia esposa, torturó pequeños animales y mató a miles de personas inocentes de maneras espantosamente crueles e inusuales. Campesinos o nobles, familiares o extraños, a Iván le importaba poco mientras pudiera matar. Se casó con ocho esposas, violó a cientos de mujeres y abdicó de sus responsabilidades no una, sino dos veces. La primera vez volvió solo cuando se le concedió el poder absoluto, y abusó de él con saña formando el aterrador Opríchnina, un regimiento de despiadados jinetes que asesinaban a cualquiera que se interpusiera en el camino de Iván. La segunda vez, colocó a un general enemigo en el trono y lo aduló durante un año antes de destituirlo y recuperar su posición de zar.

Las acciones salvajes de Iván han llevado a los estudiosos e historiadores a etiquetarlo como un psicópata y un individuo profundamente perturbado. No hay duda de que la salud mental de Iván es cuestionable en el mejor de los casos. Pero sería demasiado fácil llamarlo monstruo, demasiado simple creer que un ser humano no puede cometer los crímenes atroces que tanto le gustaban a Iván. Pero cuando uno comienza a profundizar en la psique de uno de los peores monarcas de toda la historia, hay más que un simple asesino a sangre fría.

La historia de Iván no solo es una historia de brutalidad, sino también de gran sufrimiento. Es la historia de un niño cuyo padre murió cuando era muy pequeño; la historia de un niño cuya madre fue envenenada cuando tenía solo siete años. Fue un niño que tuvo que luchar para sobrevivir mientras la nobleza guerrera lo amenazaba, abusaba y acosaba sin cesar mientras trataba de proteger a su único amigo, su hermano pequeño sordo y mudo. Es también la historia de un joven desesperado por defenderse que lo logró cuando lo nombraron zar. Casi llegó a ser la historia de un gobernante bueno y capaz cuyo temperamento salvaje fue aplacado por la presencia de una zarina que parecía tener el poder de calmar los tormentos de su mente; pero, tristemente, la amada primera esposa de Iván fue envenenada y murió en agonía, sumiéndolo en un caldero de oscuridad y depresión que produjo el tirano conocido como un monstruo de la historia.

Sin embargo, no era un monstruo. Era un hombre. Y esta es su historia.

Capítulo 1 - Rusia antes del primer zar

Los eslavos, los finlandeses y algunas otras tribus estaban en problemas, y lo sabían.

Aunque expulsaron a los varangios de sus pequeños pueblos y aldeas cuando llegaron y los ocuparon brevemente algunos años atrás, las personas murmuraban que las cosas estaban mejor cuando los escandinavos estaban a cargo de sus territorios. Habían llegado pacíficamente en sus poderosos barcos largos, estos grandes hombres barbudos con aterradoras armas y apariencia guerrera, lo cual fue suficiente para asustar a las tribus. Los varangios eran pacíficos, pero los eslavos y otros sabían que era solo porque no tenían nada que robar. Estaban las tierras, sin embargo. Eran abundantes y fértiles, llenas de tesoros que los mercaderes varangios podían vender en todo el mundo: cera de abejas, pieles, miel y madera. Temiendo la explotación, el pueblo eslavo expulsó a los varangios, y empezaron a organizarse para gobernarse a sí mismos.

Sin embargo, resultó más difícil de lo esperado. La unidad con la cual derrotaron a sus nuevos enemigos desapareció en el momento en que el último barco varangio regresó a las tierras lejanas de donde vino. Tan pronto como perdieron el enemigo común contra el que luchar, empezaron a luchar entre ellos. A finales del siglo IX, la tierra de Rusia era un caos. El comercio se desmoronó porque las tribus no podían ponerse de acuerdo en nada hasta que llegaron a la solución: Hacer que los varangios volvieran para unificarlos, esta vez en paz y no en guerra.

Cuando los eslavos y los finlandeses de las tierras alrededor de los ríos Lovat y Vólijov llegaron a tal conclusión, decidieron tomar medidas. Enviaron un mensaje a Escandinavia pidiendo a los varangios que volvieran a gobernarlos. Al menos, así ocurrió según la *Primera Crónica Eslava*, una selección de textos posiblemente compilados por el monje ruso Néstor el Cronista a principios del siglo XI. Otras fuentes sugieren que los varangios llegaron y atacaron Rusia, como propone el sesgo pro-normando de Néstor, razón para dudar de su compilación. De cualquier manera, en el 862, tres hermanos varangios llegaron a la zona de la actual Bielorrusia, Rusia y Ucrania.

El mayor de los tres hermanos era Rurik. Mientras que muchos de los pueblos eslavos y ugrofineses lo aceptaron inmediatamente como gobernante, otros se resistieron, y Rurik tomó su espada vikinga de doble filo y forjó su reino en este nuevo territorio. Con el apoyo de sus soldados vikingos y de sus aliados nativos, obligó a sus oponentes a doblegarse. Ni siquiera la muerte de sus dos hermanos lo detuvo; simplemente absorbió sus territorios dentro de los suyos.

Rurik estableció la sede de su gobierno en un asentamiento que construyó y llamó Nóvgorod, que se traduce como «nueva fortificación». A pesar de que había ciudades más grandes en la región en ese momento, regresó a Nóvgorod a vivir sus últimos años. Finalmente se estableció allí, contento con el reino construido.

Rurik no sabía que uno de sus descendientes, cientos de años después, sembraría el terror en las calles de la ciudad que acababa de construir.

* * * *

Rurik fue el fundador de la primera gran dinastía de gobernantes de la Rusia unificada. Durante cientos de años antes de su llegada, Rusia estaba ocupada principalmente por tribus nómadas errantes que vivían de sus vastas y fértiles tierras sin establecer ningún gobierno central. Estas tribus incluían a la gente conocida en el resto del mundo como los escitas. Ocupaban las grandes estepas del sur y eran un pueblo guerrero, y jinetes de renombre. De hecho, los escitas probablemente tuvieron la idea de castrar a los caballos machos, práctica que revolucionó el uso de los caballos tanto en la guerra como en la paz, pues al castrarlos se hacían mucho más dóciles que los sementales, sin perder su fuerza y tamaño.

Los antiguos mercaderes griegos fueron los primeros en toparse con estas tribus y las conectaron con el resto del mundo a través del comercio. La antigua Roma también tuvo interés en los tratos con Rusia cuando Nerón convirtió algunas tierras rusas en parte de la provincia de Mesia Inferior, pero la mayoría de los intentos de conquistar Rusia terminaron en desastre, pues tribus nómadas salvajes, como los hunos, llegaban invariablemente. En el siglo VI llegaron los jázaros y domesticaron algunas de las estepas salvajes. Los jázaros eran un pueblo bastante pacífico; se convirtieron en judíos entre el 700 y el 800 y obtuvieron gran parte de su poder de su alianza con el Imperio bizantino.

La llegada de Rurik, sin embargo, marcó el comienzo de una nueva era: la de los rusos de Kiev. Después de su muerte en 879, uno de sus parientes, Oleg, subió al poder. El objetivo de Oleg era expandir los territorios que su difunto pariente había acumulado. Primero puso sus ojos en Smolensk, una ciudad que funcionaba como centro de comercio entre dos grandes ríos, el Dniéper y el Dviná Occidental. Después de conquistarla, Oleg se dirigió al objetivo mayor, Kiev, situada a lo largo del mismo Dniéper. La ciudad fue oprimida durante mucho tiempo por los jázaros, que exigían altos tributos a los kievitas; sin embargo, dos hombres de la banda original de Rurik, Askold y Dir, tomaron la ciudad y desde entonces comenzaron sus propios reinados de terror. Los hombres, fieles a sus orígenes vikingos, comenzaron a lanzar incursiones sobre las regiones circundantes, usando Kiev como base. Néstor especula que incluso podrían haber atacado Constantinopla, la capital del Imperio bizantino; de cualquier manera, causaron estragos en Kiev y sus alrededores.

Oleg engañó a Askold y Dir para que salieran de la ciudad y los mató a ambos. Kiev fue bastante acogedora con Oleg y más aún cuando les persuadió para que dejaran de rendir tributo a los jázaros. Las ciudades de los alrededores siguieron el ejemplo, y en el momento de la muerte de Oleg, había expandido sus tierras a una gran federación política conocida como la «Rus de Kiev».

* * * *

Cuando Oleg estableció firmemente la Rus de Kiev, la federación se vio inmersa en una era de turbulencia y agitación. Igor, el hijo de Rurik, se convirtió en su próximo líder. Codiciaba las riquezas y exigía impuestos de su gente con demasiada dureza. Murió asesinado por la tribu drevliana. Su esposa, Olga, utilizó el engaño y la violencia para matar a muchos drevlianos en venganza durante su posterior regencia, llegando a extremos increíbles por su dolor y rabia. Finalmente abdicó en 963, sumiendo a los rusos en el caos. Mientras que su hijo, Sviatoslav I, logró expandir el territorio en alguna medida, fue asesinado camino a casa en Kiev después de una batalla, y sus tres hijos se pelearon por el territorio.

Uno de los hijos, Vladimir, se vio obligado a esconderse en Noruega mientras sus dos hermanos amenazaban con destruir a los rusos y al otro en su búsqueda de poder. Mientras luchaban, Vladimir reunió un ejército de seguidores. Su matrimonio con Ana, la hermana del emperador bizantino Basilio II, le proporcionó un poderoso aliado. Regresó, conquistó a sus hermanos y tomó el control de Rus.

El gobierno de Vladimir fue una edad de oro para la Rus de Kiev. La nación predominantemente pagana se convirtió al cristianismo ortodoxo oriental, lo que trajo más unidad al pueblo, y Vladimir promovió la educación y las artes. Se construyeron escuelas, ciudades e iglesias, el comercio con el Imperio bizantino floreció, y cuando Vladimir murió en 1015, se le conoció como Vladimir el Grande.

Su hijo mayor, Sviatopolk, gobernó brevemente la Rus durante cuatro caóticos años, asesinando a tres de sus hermanos para aferrarse al poder. Otro hermano, Yaroslav, logró deponer al sanguinario gobernante, y dio lugar a otra era de paz y expansión. Por mejorar las leyes, fronteras y relaciones con países vecinos tan importantes como Suecia y el Imperio bizantino, Yaroslav obtuvo su título de Yaroslav el Sabio.

Desafortunadamente, Yaroslav fue el último gran líder de la Rus de Kiev. Su mayor error lo cometió en su lecho de muerte al dividir el territorio entre sus hijos, tal vez tratando de evitar el dolor y el terror que la lucha entre sus hermanos le causó a él y a su pueblo. El movimiento tuvo el efecto contrario al deseado. Fragmentados, los rusos entraron en una disputa y finalmente se desmoronaron.

Sus fronteras se fracturaron, instantáneamente Rusia se volvió vulnerable a los ataques externos. Fue invadida por los merodeadores mongoles en 1223, y aunque erigieron importantes infraestructuras como carreteras, su influencia opresiva duró décadas. Hasta finales del siglo XIII una nueva dinastía ascendió al poder, y fue liderada por un héroe de la misma ciudad que Rurik eligió para asentar su poder: Nóvgorod.

Capítulo 2 - Un linaje de héroes

*Ilustración I: Alexander Nevski en la batalla del Neva,
un cuadro de Boris Artemievich Tchorikov*

La superficie congelada del lago estaba quieta y lisa, cubierta de nieve, pero Alexander Nevski sabía que su apariencia era engañosa. En realidad, la superficie del hielo era desigual y traicionera, y él contaba con ello.

Podía oír la pesada respiración de sus hombres y caballos a su alrededor. El hielo se deslizaba entre los abrigos de los caballos, su sudor se congelaba en sus largos y peludos abrigos de invierno. Alexander sabía que su bigote estaba congelado, y su aliento se evaporaba y flotaba en el aire. Aspiró el olor de los animales sudorosos, del crujiente día de invierno, de la sangre. Lucharon duro, y la lucha más dura aún estaba por venir.

La esperanza de Alexander, sin embargo, yacía en el lago frente a él. Una vez que sus enemigos cruzados le obligaron a huir a él y a su ejército (una retirada calculada para atraerlos al campo de batalla de su elección) tomó su veloz caballería e infantería ligera y huyó fuera de su vista, luego los condujo a través de la crujiente y explosiva superficie del lago. Alexander conocía el lago como la palma de su mano, y pudo poner a sus hombres a salvo, abriéndose camino a través de la traicionera superficie. El hielo al borde de la orilla estaba roto y disperso, pero el agua solo les llegaba hasta las rodillas. Sus enemigos, sin embargo, no tenían idea de que el lago existía. No lo supieron hasta estar sobre él y ese era exactamente el plan de Alexander. Su retirada no fue sino un movimiento calculado para llevar a sus enemigos al campo de batalla de su elección.

Hubo un gran rugido en el horizonte blanco. Los hombres de Alexander prestaron atención; se podía oír cómo aumentaba la respiración. Sentía el latido de su caballo de guerra acelerarse entre sus rodillas, sentado en su amplio y peludo lomo. Al momento siguiente, el horizonte se erizó de lanzas, el estandarte de los Caballeros Teutónicos rompía elevándose contra el gris cielo invernal. El estandarte llevaba una cruz amarilla y un pájaro rampante, su pico y garras rojo sangre, listos para la batalla. Pero no infundieron miedo en el corazón de Alexander Nevski. Había vencido a los suecos en el

Neva, superado en número, en 1240, y sabía que su ejército era más grande que el de los Caballeros Teutónicos; estaba más que preparado para enfrentarlos.

Un gran cuerno sonó, y las pezuñas hicieron crujir y tronar el hielo. Los caballeros cargaron. Formando una cuña, el ejército cruzado se abalanzó sobre los rusos, sus caballos resoplaban y se esforzaban por atravesar la nieve profunda bajo su pesada armadura. Las líneas de Alexander resistieron, y escucharon el crujido de las cuerdas de los arcos cuando sus arqueros a caballo se preparaban para la lucha.

El líder de los cruzados llegó al lago. Alexander vio a su caballo resbalar y tambalearse, sus cascos inseguros en el hielo. Las filas de caballeros que se acercaban se redujeron de repente mientras sus caballos vacilaban ante el desconocido territorio y luego volvieron a avanzar. Pero el martilleo de miles de cascos en el lago congelado lo hizo crujir y gemir, los sonidos más suaves de su agonía subrayaban el bramido de los cuernos del ejército que se acercaba.

En las filas rusas surgió la orden de disparar. Al unísono, los arqueros a caballo soltaron las cuerdas de sus pequeños y compactos arcos. Las flechas se combaban en el aire, una lluvia de devastación caía sobre los caballeros. El estruendo de las puntas de flecha en las armaduras no era el único ruido que llenaba el aire. Se abrió una gran grieta astillada, y Alexander vio un caballo desaparecer, tragado por un chorro de agua helada junto con su jinete mientras caían a través del hielo.

No fueron los únicos. Pero la mayoría de los caballeros lograron pasar, a pesar de los resbalones y tropiezos, y la infantería rusa tuvo que prepararse. Otra ráfaga de flechas salió de los arqueros a caballo, y entonces los caballeros los alcanzaron. Hubo un gran choque, y la batalla en el hielo comenzó

* * * *

Alexander Yaroslavich, nacido en mayo de 1220, era solo un niño de diecinueve años cuando ganó la batalla del Neva contra todo pronóstico el 15 de julio de 1240. Su victoria detuvo la invasión sueca a gran escala de Rusia y lo convirtió en un héroe instantáneamente, ganándose el nuevo apellido de Nevski, que significa «del Neva». Nació en un capítulo caótico de la historia de Rusia, entonces llamada República de Nóvgorod. Los mongoles habían invadido Rusia y sembrado una terrible destrucción en todo el país, y los cruzados les pisaban los talones, empeñados en convertir a los rusos ortodoxos orientales a la fe católica de los países occidentales. Aun tambaleándose por los golpes de los mongoles, los rusos no estaban preparados para que los cruzados atacaran sus fronteras.

Sin embargo, Alexander Nevski aceptó el desafío. Cuando el ejército cruzado se enfrentó a los rusos en la superficie congelada del lago Peipus en 1242, muchos de los caballeros cayeron a través del hielo, y gracias a las tácticas de Alexander la victoria rusa tuvo lugar aquel día. Los cruzados fueron expulsados de vuelta, y hasta el día de hoy, el lago sigue siendo parte de la frontera entre Rusia y Estonia. La victoria de Alexander resuena a través de los siglos.

Esta no fue su única contribución a la historia. Su destreza militar lo convirtió en un líder popular, y a pesar de ser un hombre de guerra, se esforzó por hacer la paz con los mongoles, aunque aquello obligó a la República de Nóvgoroda rendir tributo al líder mongol, Sartaq Kan. Las buenas relaciones de Alexander con el Kan le valieron el título de Gran Príncipe de Vladimir, gobernante de toda Rusia. Y así comenzó una dinastía que produciría muchos grandes líderes, incluyendo uno llamado «el Terrible».

* * * *

El hijo mayor de Alexander, Dimitri, se convirtió en Gran Príncipe tras la muerte de su padre en 1263. Esto le dejó poco poder para heredar al hijo más joven de Alexander, Daniil Alexanderovich, pero resolvió el problema fundando el Gran Ducado de Moscú, el nuevo principado que gobernaría. Daniil no sabía que, con el tiempo,

Moscú crecería hasta ser más grande que el estado de su padre, Vladimir, convirtiéndose finalmente en el ducado más importante de Rusia.

El Gran Príncipe de Moscú, Dimitri Donskoy, tataranieto de Alexander Nevski, finalmente se libró de los grilletes de la opresión mongol, derrotando a sus enemigos en el río Don en 1380. Mongolia todavía exigía tributo a Rusia, pero los mongoles supieron que debían tratar a Rusia con respeto, y su opresión disminuyó un poco. Las acciones de Dimitri solidificaron la posición de Moscú como sede del gobierno ruso.

Cuatro generaciones más tarde, Iván el Grande terminaría lo que Dimitri había empezado. Nacido en 1440, fue conocido como Iván III cuando tomó su lugar como Gran Príncipe de Moscú en 1462. A pesar de que todavía era un hombre joven cuando ascendió al trono, Iván había gobernado junto con su padre ciego desde que era un niño, y pronto mostró lo sabio que se hizo tras aquellos años de experiencia.

Su primer logro fue anexar Nóvgorod, una república separada anteriormente. Así comenzó una cadena de conquistas y anexiones, empujando las fronteras de Rusia cada vez más lejos hasta que, al final del reinado de Iván, su país era tres veces más grande que cuando subió el trono. Esto no fue suficiente para el príncipe. Cada nueva ciudad capturada representaba otro tributo que debía pagar a los mongoles, y sabiendo que su poder empezaba a escapárseles de las manos, Iván vio el momento propicio para liberarse de ellos de una vez por todas. En 1480, diez años después de conquistar Nóvgorod, Iván se negó a pagar el tributo. Haciendo gala de su destreza y tacto como diplomático, y de su fuerza de guerrero, Iván consiguió la independencia de Rusia de forma pacífica. Sostuvo buenas relaciones con el líder de los mongoles y mantuvo a Rusia a salvo mientras la conducía a la nueva era de independencia.

La mayor decepción del reinado de Iván fue en el curso de la guerra con Lituania. A pesar de que había conquistado fácilmente muchas de las demás regiones fronterizas con Rusia, Lituania resultó difícil, lo cual empeoró cuando el heredero del trono ruso se rebeló contra él. Iván había decidido nombrar heredero al trono a su nieto Dimitri, pero su propio hijo y el tío de Dimitri, Vasili, quedó profundamente descontento con esta decisión y se convirtió en un rebelde. Desertó a Lituania y amenazó con causar más caos a su anciano padre, lo que llevó a Iván a encarcelar al inocente Dimitri y a elegir a Vasili como heredero nuevamente.

En 1505, Iván III el Grande murió en paz, y Vasili III se convirtió en el Gran Príncipe de Moscú, a pesar del drama y el caos que había rodeado la sucesión. Ninguno de los dos sabía que esta no sería la última vez que un Gran Príncipe de Moscú tendría problemas con su familia. Por muy grande que Iván hubiera sido, un segundo Iván estaba a punto de ascender, y este no sería conocido como el Grande, sino como el Terrible.

Capítulo 3 - El nacimiento de un emperador

Ilustración II: La Iglesia de la Ascensión en Kolómenskoye

Vasili III esperaba un hijo.

Hijo de Iván el Grande, Vasili había tenido hasta ahora un reinado bastante pacífico como Gran Príncipe de Moscú. Pasó la mayor parte de su tiempo consolidando y estableciendo firmemente las políticas que su padre había puesto en marcha. El gobierno sin incidentes de Vasili le valdría más tarde el apodo burlón de Vasili el Adecuado. Sin embargo, una cosa faltaba, y pesaba mucho en su corazón. Vasili tenía cuarenta y siete años, y todavía no tenía un hijo a quien dejarle el trono. Estuvo tratando de limitar el poder de la nobleza, los boyardos, durante la mayor parte de su mandato, pero era terriblemente consciente de que eran un grupo egoísta y peleón cuya mayoría deseaba ganar riqueza y poder para sí mismos. A pesar de la difícil conducta de Vasili cuando joven, intentaba seguir los pasos de su padre, y sabía que dejar el principado a los caóticos boyardos sería desastroso para el pueblo.

La otra opción era nombrar a uno de sus dos hermanos supervivientes como herederos al trono, pero Vasili no confiaba en ellos, aunque para ser justos, no confiaba en nadie; las múltiples ejecuciones de nobles que se atrevieron a criticarle sirven como prueba de su paranoia.

No, solo había una opción para el heredero: Vasili tenía que engendrar un hijo. Y el gran príncipe encontró la falla. Su esposa, Solomonia Saburova, ya no era una mujer joven. A pesar de veinte años de matrimonio, e incontables peregrinaciones y otros intentos de deshacer la maldición de la infertilidad que parecía determinada a aferrarse a su útero estéril, Solomonia nunca fue capaz de concebir un hijo. Rompiendo la tradición e incluso el derecho canónico, Vasili se divorció de Solomonia y buscó una mujer más joven para esposa, eligiendo finalmente a Elena Glinskaya. Era la joven y hermosa hija de una princesa serbia, y Vasili estaba perdidamente enamorado de ella, aunque a los 47 años no habría tenido ninguna oportunidad si no fuera por su título. Ella era impresionante, y Vasili decidió que sería la madre de su heredero.

A pesar de la desaprobación general de la población, Vasili se casó con Elena entre grandes fiestas en el invierno de 1526. Ahora, por fin, habría un hijo y heredero al trono de Moscú, o al menos, eso esperaban Vasili y su nueva y joven esposa. Pero los años comenzaron a pasar, y con cada mes transcurrido, el vientre de Elena permanecía obstinadamente vacío, y el corazón de Vasili se hundía más y más. ¿Moriría sin hijos después de todo, dejando Rusia a sus irresponsables hermanos y a los egoístas boyardos? La gente comenzó a murmurar que Dios había maldecido a Elena con la infertilidad como castigo por el divorcio de Vasili y Solomonia.

Por fin, en el verano de 1530, el vientre de Elena comenzó a hincharse y luego a abultarse. Parecía que Vasili iba a convertirse en padre después de todo, pero aún estaba por verse si tendría un heredero o no; si este bebé era una niña, el trono aún estaría en una posición frágil.

Elena dio a luz por fin el 25 de agosto de 1530. El débil llanto de un recién nacido se elevó en el aire de Kolómenskoye, la finca real del gran príncipe, y la esperanza resonó en toda Rusia mientras Vasili rezaba para que su descendiente fuera un hijo. Y así fue: un niño había llegado al mundo, heredero al trono de Moscú.

Iván nació entre tremendas celebraciones, su nacimiento aseguraba el futuro de Rusia. Para conmemorar su nacimiento, su padre ordenó que se construyera una hermosa iglesia de piedra blanca brillante; esta Iglesia de la Ascensión todavía se encuentra en Kolómenskoye hoy en día, la estructura más antigua que sobrevive en la finca.

Durante los primeros años de la vida de Iván, la paz y prosperidad fueron características de su existencia. Gracias a su madre, Iván recibió lo mejor que Moscú tenía para ofrecer. Dos años después del nacimiento de Iván, Elena le dio un hermanito llamado Yuri; Iván tenía un pequeño compañero de juegos, y la vida del niño pudo ser pintoresca en los majestuosos terrenos de la Kolómenskoye, jugando a la sombra de la iglesia construida para conmemorar su nacimiento.

Iván tenía solo tres años cuando su vida dio un repentino y brutal giro. Su padre, Vasili, rara vez estuvo en casa durante su corta vida. La guerra con Lituania iniciada durante el reinado del abuelo de Iván seguía en pie, y aunque el ejército de Vasili pudo capturar la importante y estratégica ciudad de Smolensk, aún pasaba mucho tiempo en la guerra.

Sin embargo, Vasili no cayó en batalla. Un hobby le causó la muerte. La caza era el pasatiempo favorito de gran parte de la nobleza rusa. A menudo usaban aves de presa, práctica conocida como «cacería con halcón». La mayoría de los rusos cazaban con halcones, o perseguían a su presa a caballo con perros de caza. El elegante borzoi de pelaje rizado es un ejemplo moderno de los perros de caza que los boyardos criaron hace cientos de años. Osos, lobos y zorros son ejemplos de la caza mayor popular en ese momento. La presa favorita de Vasili era la liebre. Sobre su veloz caballo de caza, podía seguir a los sabuesos durante horas, asechando la diminuta figura marrón de la liebre que se deslizaba por el paisaje nevado delante de él mientras los sabuesos, hombres y corceles se esforzaban hasta el límite para alcanzarla.

Para Vasili, la caza era la forma de escapar de las guerras, la política y todo lo demás que plaga la mente de un gran príncipe. Pero un viaje de caza dictó su sentencia de muerte.

* * * *

Era un perfecto día de invierno a finales de noviembre de 1533. Vasili tenía solo cincuenta y cuatro años, y había salido con su séquito a una expedición de caza cerca de Volokolamsk, a unas ochenta millas de Moscú. El aliento del caballo de Vasili empañaba el aire frío mientras el gran animal trotaba por la nieve, sus delgadas patas se hundían profundamente, a la deriva mientras Vasili se esforzaba por seguir a los sabuesos. ¿Dónde estaban? Escuchaba sus aullidos; no podían estar lejos de la liebre.

Vasili se sentía bien por los nuevos cambios en su vida. Aunque todavía no había paz con Lituania, al menos tenía dos niños pequeños y una bonita y joven esposa esperándole en el Kolómenskoye, y disfrutaba de un perfecto día de caza, tan despreocupado como los sabuesos que corrían y ladraban en la nieve. A pesar de la presión de su posición, Vasili estaba relajado para variar.

Entonces lo sintió. Un terrible, punzante y ardiente dolor en su cadera derecha, como si un atizador caliente hubiera apuñalado su carne. Jadeando de dolor, Vasili detuvo su caballo, temblando de agonía. Su séquito se reunió ansiosamente a su alrededor, y el gran príncipe confesó que no podía seguir. Tenía demasiado dolor.

El pueblo más cercano de Kolp quedaba a poca distancia. Cuando llegaron, Vasili estaba doblado sobre la crin de su caballo, pálido de dolor. Se apresuró a entrar. Llamaron a dos médicos alemanes para examinarlo. Sacudiéndose, devastado, con fiebre y agonizando en su cama, el gran príncipe luchó por su vida mientras los médicos corrían en su ayuda. Encontraron un absceso hinchado en su cadera; ronchas rojas en todas las direcciones desde el bulto infectado. Eran síntomas de una infección extendida. Vasili tenía la sangre envenenada.

Hoy en día la medicina moderna puede hacer poco por los pacientes sépticos severos. Hace casi quinientos años, las manos de los médicos estaban prácticamente atadas. Quizás intentaron el sangrado, usar una cataplasma de hierbas en el absceso, o darle alcohol al gran príncipe como tentativas para aliviar su dolor. O pueden haber pegado puñados de sanguijuelas a la piel de Vasili, con la esperanza de que las criaturas viscosas succionaran la infección de su sangre. Nada funcionó. Al saber que moriría, Vasili pidió que lo llevaran de vuelta a Moscú con su familia.

Vasili y su séquito regresaron a Moscú el 25 de noviembre de 1533. Para entonces, el gran príncipe estaba muy enfermo, con fiebre fluctuante entre breves respiros y terribles arremetidas. Ninguna sangría podía ayudarlo; de hecho, si sus médicos continuaron este tratamiento, probablemente se enfermó más por la pérdida de sangre. Sin embargo, no conocían mejores métodos. Nadie podía ayudarlo.

En medio de la noche del 4 de diciembre de 1533, Vasili III Ivánovich pereció en la ciudad que amaba. El pequeño Iván era solo un niño, pero ya no era heredero al título de Gran Príncipe: era el Gran Príncipe de Moscú.

Capítulo 4 - Asesinato

Vasili fue enterrado en la Catedral del Arcángel en Moscú, un magnífico edificio con techos que brillaban como el oro al sol. Con los ojos abiertos, el inocente Iván no entendía la gran pompa y la ceremonia que rodeaban el entierro. Todo lo que sabía era que su padre se había ido, aunque considerando que Iván probablemente casi no conocía a su padre, puede no haber tenido un gran efecto sobre su joven vida.

Elena era la figura más importante para Iván. Tenía enfermeras y una institutriz que lo cuidaban día a día, pero Elena era su madre, y pasaba tiempo con él todos los días, para asegurarse de que lo cuidaran adecuadamente. Su principal objetivo era asegurarse de que Iván heredara el trono de su padre.

Los dos problemáticos hermanos de Vasili merodeaban en la cercanía, y aunque el difunto gran príncipe logró tener dos hijos antes de su muerte, estaban decididos a arrebatarle el trono de cualquier manera. Vasili sabía que esto sucedería debido a lo joven que era Iván, y así, mientras moría, no transfirió su trono a su pequeño hijo, sino a su joven esposa. Ella actuaría como regente hasta que Iván tuviera edad suficiente para ocupar el trono.

Aunque no era prohibido, era bastante inusual que una mujer fuera regente en ese momento. Elena consiguió mucho más poder del que la mayoría de las mujeres nobles soñaban, y los boyardos y los tíos de Iván la rodeaban como buitres, decididos a conseguir su parte. Si Elena fuera menos mujer, quizás habrían tenido éxito. Pero no lidiaban con una simple princesa. Elena no era una niña, tenía la fuerza de la naturaleza, y estaba decidida a mantener el trono a salvo hasta que Iván tuviera la edad suficiente para entender la gran responsabilidad que el destino depositó sobre sus pequeños hombros.

* * * *

Elena Glinskaya nació alrededor de 1510, hija de una princesa serbia y un duque lituano. Solo tenía veinte años cuando nació Iván y veintitrés cuando empezó la regencia, pero se negó a que por su juventud o su género le impidieran gobernar Moscú con mano dura.

Inmediatamente, Adndréi de Stáritsa y Yuri Ivánovich, los dos hermanos de Vasili, comenzaron a complotar para deponer a Elena. A menudo los apoyaban los boyardos, a quienes no les hacía mucha gracia tener a alguna mujer lituana en el trono, pero Elena defendió el trono de Iván ferozmente. Hizo que metieran a Yuri en la cárcel un año después de la muerte de Vasili; tres años más tarde, en 1537, Andréi le siguió, y ambos murieron tras las rejas.

Para entonces, Iván tenía siete años y empezaba a tomar conciencia de su condición de futuro gran príncipe. Observó a su extraordinaria madre dirigir a Moscú con aptitud y gracia, lo cual no es de extrañar pues había estudiado política y otras materias de niña; después negoció tratados de paz con Suecia y con Lituania, construyó un nuevo muro alrededor de Moscú para fortificar las defensas de la ciudad y llevó a cabo una reforma monetaria en toda Rusia.

Se esperaba que Elena se limitara a proteger el trono durante unos años hasta que Iván pudiera tomarlo. Demostró ser uno de los gobernantes más aptos de Moscú, una gran princesa, no solo una cara bonita. Bajo su poderosa influencia, Iván comenzó su educación de joven heredero al trono, y a pesar de la muerte de su padre, su futuro parecía brillante. Con una madre como Elena Glinskaya, ¿qué podría impedirlo?

Mientras tanto, las familias boyardas bullían de rabia y odio porque Elena se mantenía en el poder a pesar de la muerte de su marido. Dos familias prominentes, normalmente involucradas en conflictos entre ellas, estaban particularmente interesadas en deshacerse de Elena. Las familias Shuiski y Belski tenían la mira puesta en el trono, y no se detendrían ante nada para conseguirlo.

Felizmente inconsciente de los problemas que se avecinaban a su puerta, Iván estaba ocupado con las lecciones de su institutriz, Agrippina Fedorovna Chelyadnina. Su primera orden del día era enseñar a Iván a leer. A pesar de ser muy joven y bastante sensible, el niño rápidamente aprendió, y pronto leía con avidez. Una viuda de casi veinte años, Agrippina, fue institutriz de Iván y Yuri desde que Vasili murió, y era una figura tan familiar como Elena para los chicos. Agripina los alimentaba, los bañaba y los acostaba; los ayudaba con sus lecciones y los vestía por las mañanas. Los chicos la veían casi como una segunda madre. No imaginaban que Agripina era parte de un terrible complot, con una peripecia que cambiaría la vida del joven Iván, de la comodidad, el lujo y la educación al miedo, el abandono y la supervivencia.

* * * *

Agrippina se deslizó por los oscuros pasillos del castillo donde vivía con sus dos jóvenes pupilos y su madre real. Con un pequeño frasco de vidrio en su mano, sentía el corazón palpitante mientras movía los pies ligeros a través del edificio familiar. Era el corazón del Kremlin de Moscú, pero sus habitantes no sabían que la amenaza provenía del interior.

Nadie sabe si Agripina fue contratada para lo que estaba a punto de hacer, si tenía motivos personales para su traición, o si fue forzada de alguna manera. Tal vez fue amenazada o violentada; la familia

Shuiski era capaz de cualquier cosa. De todas formas, probablemente sea cierto que cruzó el castillo aquella noche oscura de 1538, con un recado mortal.

Los detalles de aquel fatídico día son vagos y están envueltos en las tinieblas de la historia. Solo se puede imaginar aquel amanecer del 4 de abril de 1538 para Iván de siete años. ¿Su institutriz lo despertó y lo vistió como lo hacía todas las mañanas? ¿desapareció, y él se despertó tarde y soñoliento y luego llegó medio aturdido a la habitación de su madre? ¿La encontró allí, fría y tiesa, con su cuerpo desangrándose de su vibrante vida, sus ojos juveniles, vidriosos y en blanco? ¿Gritó? ¿Luchó para comprender lo que estaba pasando mientras tomaba su fría mano, pidiendo a gritos que despertara? ¿Lloró mientras sus asistentes venían corriendo, y luchó mientras lo arrastraban lejos del cadáver de su madre? O tal vez Agrippina fingió que nada estaba mal. Tal vez su día comenzó como cualquier otro día hasta que uno de los asistentes de su madre la descubrió, y su grito de horror resonó por todo el castillo. Tal vez Agripina cerró la puerta de golpe, y lo mantuvo en su guardería hasta que algún boyardo llegara a revelar la brutal verdad.

De cualquier manera, cuando Iván tenía solo siete años y el pequeño Yuri no cumplía los cinco, Elena Glinskaya murió. Probablemente fue envenenada, debido a un complot de la familia Shuiski que quería apoderarse del trono de Moscú. Y como ella había encarcelado a sus dos tíos (que posteriormente murieron en prisión), Yuri e Iván quedaron huérfanos inmediatamente.

La vida de Iván dio un repentino y horrible giro. Su madre lo había criado para ser un gobernante sabio y educado. Pero tras su partida, Iván se concentró en una sola cosa: sobrevivir.

* * * *

Elena descansa en la Iglesia de la Ascensión, construida unos años antes para celebrar el nacimiento del pequeño Iván. Entonces, era un bebé inocente, apenas consciente del imponente monumento blanco que conmemoraba su nacimiento. Era un niño cuando tuvo que ver el cuerpo de su madre desaparecer en aquella iglesia, para no verlo nunca más.

Iván se quedó casi completamente solo. Sus padres estaban muertos y también sus tíos, encarcelados por su propia madre. Incluso Agrippina, la mujer que lo crio, fue arrestada y juzgada por el asesinato de Elena. No quedaba nadie en el mundo que pudiera cuidar de Iván y su pequeño hermano. Es difícil comprender lo traumática que debió ser la muerte de Elena para los dos niños, especialmente para Yuri, que nació sordo y también se quedó mudo.

Elena murió e Iván era todavía demasiado joven para tomar el poder. La regencia cayó en manos los mismos boyardos alevosos y mezquinos que probablemente mataron a Elena, en primer lugar. La familia Shuiski tomó triunfalmente el lugar que logró hacerse por medios asesinos, aunque fue constantemente acosada por la familia Belski, sus mayores rivales.

Toda Rusia sufrió a manos de aquellos egoístas boyardos. Su único objetivo era hacerse de dinero y poder; gobernar el país y servir al pueblo les parecía secundario. Con las dos familias profundamente enfrentadas, Rusia se vio abandonada. Los boyardos oprimían a la gente común y se apropiaban de cualquier tesoro o dinero que encontraran, sin importar a quién pertenecían realmente.

Sin embargo, nadie sufrió más que Iván y Yuri. El cuidado de los niños quedó a cargo de las familias Shuiski y Belski, y quedaron relegados al olvido. A pesar de que pronto se convertiría en Gran Príncipe de Moscú, Iván tuvo que luchar por sobrevivir a solas como cualquier erizo de las calles de su país. El príncipe de Rusia se iba a la cama hambriento y con ropas harapientas, descuidado y despreciado por los extraños que invadieron repentinamente su lujosa casa.

Lamentablemente, los efectos psicológicos de esta época fueron desastrosos, no solo para Iván, sino para miles de personas.

Capítulo 5 - Volviéndose terrible

Aunque Iván escondía la cabeza bajo las mantas, podía oír la lucha del otro lado de la puerta. Voces, gritos, cruzaban el aire, el tañido metálico de las espadas al desenvainar. Apretaba los ojos con fuerza, sabiendo lo que vendría después. Gritos de ira e incredulidad, y luego el delicado sonido del metal cortando el aire mientras los hombres en el pasillo se golpeaban unos a otros. El acero resonaba sobre el acero, los gemidos de esfuerzo acentuaban los pesados pasos sobre el suelo. Luego, ruido de carnicería, carne desgarrándose. Una breve queja de dolor antes del golpe de un cuerpo sobre el suelo. Los pies corrían y resonaban en el pasillo mientras las voces preocupadas quedaban atrás. Finalmente, el sonido del hombre caído arrastrado por el suelo.

Lentamente, Iván dejaba escapar el aliento contenido, esperando al silencio antes de quitarse las mantas y sentarse en la cama. A su lado, Yuri dormía felizmente sin saber lo sucedido; vivía en un mundo silencioso, y al menos podía dormir en paz. Iván, sin embargo, escuchaba todo, los terribles sonidos de la furiosa disputa entre las familias Shuiski y Belski dentro del mismo palacio donde vivió durante años. Las constantes batallas de las familias en guerra a menudo ocurrían en los pasillos; cuando Iván se aventuraba a salir de su habitación cada mañana, solía ver manchas de sangre fresca que las doncellas aún no acababan de limpiar.

Peor aún, a veces las peleas irrumpían en las habitaciones donde jugaban Iván y Yuri. Era una señal de la mayor falta de respeto para un boyardo aventurarse en los aposentos de los príncipes, pero sin nadie que abogara por los chicos, los boyardos hacían lo que querían. Peleaban delante de los niños, a veces incluso los implicaban en sus peleas, acosándolos y abusando de ellos mientras Iván luchaba por proteger a su hermano sordomudo. Sin embargo, ¿qué podía hacer? Era solo un niño cuando la lucha comenzó. Desde entonces, nadie estuvo a salvo dentro del Kremlin que su madre había fortificado tan cuidadosamente antes de morir; incluso los clérigos fueron apedreados hasta morir dentro de sus muros. Cuando el príncipe Shuiski intentó derrocar al príncipe Belski, que en ese momento controlaba la regencia, irrumpieron en las habitaciones de Iván y las registraron haciendo mucho ruido. Aterrorizados, Iván y Yuri temieron que los Shuiski hubieran venido a matarlos al fin.

No es sorprendente que Iván se convirtiera en un joven extraño. Inexplicablemente solitario, sin nadie con quien hablar y que pudiera responder, Iván se dedicó a leer para tener compañía y consuelo. Leía vorazmente, educándose como podía. Sin embargo, cuando no entendía algo, sus reacciones solían ser irracionales y violentas; a menudo se acurrucaba en el suelo y procedía a golpear su cabeza contra la fría superficie, como para sacarse todo el miedo y el dolor de adentro y reemplazarlo por comprensión y sabiduría. Poco a poco se convertía en adulto, y ya mostraba signos de estar profundamente perturbado.

A medida que Iván crecía, los boyardos empezaron a tratarlo con un poco más de respeto. La gente tenía esperanzas de que el niño se convirtiera en un Gran Príncipe algún día; los Shuiski, entonces en el poder, decidieron que era más fácil y seguro mantenerlo a salvo por ahora que matarlo y arriesgarse a un levantamiento. La negligencia y los abusos sexuales no consiguieron llevar al joven príncipe a la locura, así que, al acercarse su adolescencia, los Shuiski decidieron que lo mejor era simplemente mimarlo y distraerlo. Le proporcionaron una serie de jóvenes acompañantes, normalmente nobles de su edad, y les dieron a todos rienda suelta para hacer lo que quisieran. Tal vez así podrían arruinar a Iván y hacerle olvidar el poder que estaba tan cerca de caer en sus manos.

Iván aprovechó esta nueva oportunidad de libertad con voracidad. Se lanzó a la misma aventura que Vasili amó tanto: la caza. Pero el cálculo preciso de un verdadero cazador nunca fue parte de la psique de Iván. Todo lo que quería era infligir crueldad a su presa, la misma crueldad que había sufrido durante tantos años como un niño sin voz en las garras de la familia que mató a su madre.

Junto con su temeraria banda de compinches, Iván comenzó a expresar su ira reprimida de manera terrible. En lugar de cazar a las criaturas que llenaban los bosques circundantes de Moscú, las capturaba y torturaba, a veces clavaba objetos afilados en sus ojos y a veces arrojaba animales vivos - a menudo inocentes, domésticos, como perros o gatos de compañía - desde el techo del Kremlin. El dolor y el miedo retorcieron su joven mente al punto de disfrutar viendo a otros sufrir. Esto le hizo sentirse poderoso, despojándose de la terrible impotencia de cuando era un niño pequeño sin nadie que le protegiera. Y cuanto más cruelmente se comportaba, más le animaban los Shuiski. Querían que la gente perdiera la fe en su joven príncipe y viera su lado aterrador.

Iván crecía y a sus doce años, sus juegos comenzaron a volverse más y más peligrosos. Los animales ya no eran el único objeto de su crueldad. Con sus amigos desarrolló un nuevo juego para expresar su ira y su miedo. Ensillaban sus caballos, y galopaban locamente por las calles, cabalgando a propósito a través del aguanieve para rociarlo contra la gente y los carros e incluso dirigiendo sus corceles de carga directamente hacia los peatones para derribarlos y pisotearlos.

Iván se estaba convirtiendo en un vándalo. Pero también estaba empezando a darse cuenta de que tenía más poder del que pensaba en un principio. Ya no era un niño escondido bajo las mantas, podía controlar, herir y matar. Y no pasó mucho tiempo antes de que el joven Gran Príncipe de Moscú ordenara la primera ejecución.

* * * *

Adndréi Mijáilovich Shuiski se arrellanó en las habitaciones reales del Kolómenskoye, sintiéndose excepcionalmente poderoso y contento con su vida. Era fácil ver por qué. Cinco años atrás, era otro boyardo más, otro noble menor que se peleaba por cosas insignificantes con otros hombres de su rango; el anterior Gran Príncipe de Moscú apenas le había prestado atención. Ahora controlaba el trono de Moscú. Se había llenado los bolsillos a expensas del tesoro real y había despojado a la mayoría de las personas del palacio de sus pieles y joyas. Mejor aún, gobernaba sobre todo el pueblo de Rusia. Si quería algo, era suyo por derecho, y un poco de violencia era suficiente para conseguir lo que quería. Incluso tenía al Gran Príncipe Iván IV firmemente bajo su control. Al menos, eso creía.

La puerta de la cámara se abrió de golpe. Shuiski saltó un poco, pues no esperaba visita. Se sorprendió al ver nada menos que al mismísimo Iván entrar. Los ojos del joven eran tan oscuros que parecían negros; brillaban con algo ilegible, pero había una clara amenaza en la forma en que entró en la habitación. Lo acompañaban dos de los cazadores reales, y sus manos tenían los puños cerrados, parecían listos para la lucha.

Antes de que Shuiski pudiera decir algo, Iván levantó su mano. Sus ojos se fijaron en los de Shuiski mientras lo señalaba. «Arréstenlo», ordenó, con una voz baja y sin expresión.

Los cazadores asintieron en deferencia a su príncipe y marcharon hacia donde estaba sentado Shuiski. Antes de que pudiera escapar, lo agarraron, sus musculosos brazos lo controlaron sin esfuerzo y lo arrastraron ante el gran príncipe. Iván lo miró con un desprecio y un odio que le quemaron el alma. Lo contempló por unos momentos, y de repente, Shuiski sintió un miedo abrumador en sus entrañas. El niño delante de él solo tenía trece años, pero en ese momento dominó a Shuiski como un gigante vengativo, listo para destruirlo.

Entonces Iván miró a los cazadores. Era un niño, tuvo que inclinar bastante la cabeza hacia atrás para ver sus ojos. «Arrójenlo a los perros», dijo.

Shuiski gritó. Se echó hacia atrás, retorciéndose entre los brazos de los cazadores, pero ellos estaban bien dispuestos a obedecer a su gran príncipe y librarse del opresivo regente. Iván los siguió mientras caminaban hacia el recinto donde guardaba sus perros de caza. Tenía una enorme jauría, bestias esclavas con ojos locos, alimentadas con lo mínimo: cuanto más hambrientos estuvieran, mejor cazarían. Y no habían cazado durante mucho tiempo. Comenzaron a ladrar y a lanzarse contra las paredes mientras Shuiski, gritando y luchando, era arrastrado hacia el recinto. Sus blancos dientes brillaban, babeando y la espuma goteaba de sus mandíbulas aullantes. Los cazadores abrieron la puerta, uno de ellos golpeó a los perros con un enorme palo. El otro agarró a Shuiski, y en medio del último grito, lo arrojaron dentro.

Inmediatamente, el regente desapareció bajo una ola de cuerpos peludos. Cayeron sobre él, con sus dientes desgarraron la carne, salpicando sangre y tiñendo sus hocicos mientras se alimentaban. No lo cazaron, simplemente lo destrozaron. Luchaban entre ellos, sus dientes crujían contra los huesos, los perros lo hicieron pedazos. Para cuando el frenesí alimenticio terminó, solo quedaron los huesos.

Parado a un costado, con sus ojos oscuros, Iván lo vio todo. Tenía razón sobre su poder después de todo, y le resultó embriagador ver como el hombre que le había causado tanto dolor fue destruido bajo sus órdenes. Ahora tenía el poder de matar a cualquiera que se interpusiera en su camino. Nunca más tendría que sufrir como cuando era un niño pequeño.

Podía hacer lo que quisiera, tener lo que quisiera. Y lo que el joven Gran Príncipe de Moscú quería, más que nada, era poder.

Capítulo 6 - La coronación del primer zar

Ilustración IV: La gorra de Monómaco

Las calles de la ciudad resonaban con el sonido de miles de campanas de iglesia. El sonido rebotó de techo en techo, persiguiendo la luz del amanecer a través de la ciudad en fiesta, mientras cada iglesia de Moscú repicaba las buenas nuevas con los tonos puros de las campanas que llenaban cada rincón de cada edificio. Altas y profundas, lentas o alegres, las campanas repicaban. Doblaban proclamando que un nuevo Gran Príncipe de Moscú sería coronado, y esta vez, no sería simplemente un Gran Príncipe, sino el primer zar de Rusia.

Montando un corcel brillante y saltarín, Iván cabalgó hacia el Kremlin. Su semental sacudía la cabeza y bailaba, y sus herraduras sacaban chispas en la calle. Los oscuros ojos de Iván brillaban de antelación. Había nacido para aquel día, y toda Rusia había esperado su llegada con la misma expectativa que sentía ahora. A pesar de los esfuerzos de los boyardos, Iván no solo había llegado a la madurez, sino que había aprovechado su oportunidad de conseguir el poder.

Desde que Iván arrojó a Andréi Mijáilovich Shuiski a los perros hambrientos, la familia Shuiski le temía. Era obvio que ya no se acobardaría ante los boyardos guerreros. Sus días de acosar y faltarle al respeto a Iván habían terminado. Finalmente se había dado cuenta de cuánto poder tenía, y para un adolescente, era tan peligroso como embriagador.

Pasaron tres años después de la espeluznante muerte de Shuiski. Iván continuó su educación, influenciado por el Metropolitano de Moscú, un hombre llamado Makari, que parece haber sido una de las pocas presencias positivas en la vida del joven. En lugar de tratar de tomar el poder, Makari parece haber estado genuinamente interesado en educar un justo y capaz gobernante para Rusia. Iván también estudió las cartas escritas por su abuelo, Iván el Grande, y una palabra en aquellas correspondencias lo asaltó con una atracción irresistible: zar. Traducido, la palabra significa algo así como *emperador*. Aunque el Gran Príncipe de Moscú era el hombre más poderoso de Rusia, los grandes príncipes de otras ciudades importantes de todo el país tenían un poder considerable. El Gran Príncipe de Moscú no era tanto un emperador, sino el miembro más poderoso de un grupo de reyes. Iván quería cambiar aquello.

Quizás fueron los escritos de su abuelo, en los que a veces se refería a sí mismo como «zar», aunque no llevara oficialmente el título, los que inspiraron a Iván a coronarse como Gran Príncipe de Moscú y también como zar de todas las Rusias. Al hacerlo, Iván se proclamó a sí mismo descendiente de Rurik, aquel explorador nórdico que se hizo de Nóvgorod. También se nombró a sí mismo gobernante de todos los Grandes Príncipes de Rusia, unificando el gobierno y poniéndose a la cabeza como emperador. Se había corrido la voz de la brutal ejecución de Andréi Shuiski, y nadie se atrevió a oponérsele.

Así que, en ese brillante día de invierno del 16 de enero de 1547, el joven Iván de dieciséis años cabalgó hacia su coronación, listo para convertirse en el primer zar ruso. Estaba ataviado con su túnica principesca, hermosamente adornada con magníficas piedras preciosas y bordados ornamentales. La ceremonia que siguió fue tan elaborada como las relucientes túnicas que vestía el zar. La Iglesia ortodoxa rusa presidió toda la ceremonia; Makari, como el Metropolita y por lo tanto la cabeza espiritual de la Iglesia ortodoxa rusa, probablemente la habría conducido, leyendo las Escrituras, diciendo oraciones e imponiendo sus manos al joven Iván. Finalmente, Makari levantó la hermosa corona rusa de su lugar y se la ofreció a Iván. Conocida como el Gorro de Monómaco, era una pieza llamativa forjada en oro. Hoy en día, el gorro está rodeado de piel y adornado con joyas, pero cuando Iván lo recibió de manos de Makari era más sencillo. Aún reluciente en oro, pero sin los adornos, parecía belicoso, casi utilitario. El peso en sus manos era un fuerte recordatorio de la responsabilidad que el destino de su derecho de nacimiento le había otorgado, pero Iván apenas podía esperar para levantarlo y apoyarlo en su cabeza. Ahora era el zar de todas las Rusias, el emperador de su mundo.

Era el hombre más poderoso del país. Y le gustaba.

* * * *

Antes de la coronación, Iván se había dado cuenta de que necesitaba algo más para convertirse en un verdadero zar: una esposa. Sin estar casado, Iván no se consideraría plenamente un hombre. Es más, no sería capaz de producir un heredero, aunque es posible que ya tuviera unos cuantos hijos considerando que hubo algunas denuncias de violación presentadas contra él durante sus tiempos salvajes cabalgando por la ciudad y causando el caos con los «amigos» que los Shuisky le habían prescrito. Era hora de que Iván encontrara una mujer, y una vez que hizo esta proclamación, los nobles de toda Rusia inmediatamente entraron en acción.

Debido a su estatus, Iván solo podría casarse con una mujer de sangre noble. De hecho, era mejor para él casarse con una princesa, cuanto más alto fuera su rango, mejor aún para fortalecer las alianzas con otros hombres poderosos en Rusia. Los nobles menores, sin embargo, todavía intentaban que sus hijas se convirtieran en la nueva zarina (emperatriz), por lo que cientos de ellos acudieron al Kremlin a presentar a sus hijas para la inspección de Iván. Según algunos informes, hasta 1.500 chicas fueron traídas para que Iván eligiera.

Princesa tras princesa fueron traídas y desfilaron como un caballo de exhibición para el placer de Iván. Las rechazó a todas una por una, a pesar de su belleza y rango. Las pobres chicas debieron sentirse como ganado en alguna subasta; es difícil imaginar si estaban más consternadas por el insulto de ser rechazadas por el futuro zar o aliviadas de no tener que pasar sus vidas con este joven tempestuoso. Y cuantas más chicas rechazaba Iván, más tempestuoso se volvía. Enfadado por la inferioridad de las novias que se le presentaban, Iván se frustraba y se ponía ansioso, gritándole a las chicas y, probablemente, pateando a unos cuantos sirvientes por si acaso.

Entonces, una chica de piel blanca y ojos oscuros fue presentada. A mitad del desfile, Iván se detuvo mirándola fijamente. Tenía más o menos su misma edad; sus mejillas suaves y redondas eran todavía las de una niña, pero sus elegantes curvas pertenecían a una mujer. Sus ojos miraban hacia abajo, sus pequeñas manos estaban cuidadosamente cruzadas frente a ella, sin embargo, había algo un poco intrépido en ella. A diferencia de las otras chicas, no se arrastraba ni temblaba. Ella solo esperó, su mirada bajó en una actitud de recatado respeto.

Había una quietud en ella que Iván encontraba irresistible. Dio un paso más, bebiendo en su dulce y suave aroma. Estaba inmóvil, serena y controlada incluso en su mansedumbre. Había tanta calma en ella; era un lago de montaña para el mar tormentoso de Iván, un cielo azul puro para su nubarrón, un glaciar para su avalancha. Ella apaciguó algo en lo profundo de él, y él simplemente no pudo apartar sus ojos de ella.

Se llamaba Anastasia Romanovna, y era la hija de un boyardo menor. En comparación con las otras mujeres que habían sido traídas para Iván durante el desfile de la novia, ella no era nadie, solo unos pasos la distanciaban de ser una simple plebeya. Pero no era ni su rango, ni su riqueza, ni su belleza lo que atraía a Iván. Era algo en su alma, algo tranquilo y decidido que templaba su locura y calmaba el dolor que le había llevado a actos tan indecibles, incluso a su temprana edad.

Una vez que Iván conoció a Anastasia, no hubo ninguna duda al respecto. Si bien pasó varias semanas con su lista de chicas para conocerlas mejor, Anastasia fue la única que pudo calmarlo, y no pasó mucho tiempo para que se enamorara perdidamente de ella. Se casaron solo unas semanas después de la coronación de Iván, y Anastasia se convirtió en la zarina de Rusia.

Anastasia fue la primer cosa radiante y feliz en la vida de Iván desde la muerte de su madre, casi diez años antes. Ella tuvo un innegable efecto positivo en su estado mental, revirtiendo —o al menos adormeciendo— los efectos que años de trauma habían tenido en su joven psique. Su influencia sobre él le haría entrar en una época de justicia, ambición y capacidad como primer zar—y de alegría y paz en su propio corazón, por primera vez en muchos años.

Capítulo 7 - Un joven gobernante ambicioso

Con la influencia calmante de Anastasia, que alivió la desesperada necesidad de poder de Iván, pudo finalmente convertirse en el gobernante educado y sofisticado que siempre tuvo el potencial de ser.

Uno de los principales aliados y consejeros de Iván siguió siendo Makari, el Metropolitano de Moscú. Makari quería que el joven gobernara sobre una tierra unida, poderosa y justa, usando preceptos cristianos tomados de la Iglesia ortodoxa rusa para establecer las normas de la ley y el gobierno. Tan pronto como tomó el poder, Iván comenzó a instituir un número de reformas diseñadas para unificar su disperso imperio.

La mayor parte del poder de Iván estaba ligado a la propia Iglesia. De hecho, al proclamarse zar, estrechó los lazos entre la Iglesia y el Estado. Por lo tanto, no es sorprendente que uno de sus primeros pasos fuera convocar una serie de concilios eclesiásticos, el primero de los cuales se reunió en 1547, el mismo año de su coronación. El propósito de los concilios fue organizar la administración de la Iglesia, haciéndola más sistemática y metódica para que fuera más adecuada para ayudar a Iván a tratar los asuntos del gobierno. También se canonizaron varios santos, lo que condujo a una creciente lista de santos rusos que incluía a Alexander Nevsky, el antepasado de Iván que había ganado la fatídica batalla del Hielo.

Siendo un joven e inexperto gobernante, y no habiendo crecido con el ejemplo e influencia de su padre, Iván se dio cuenta de que no podía gobernar solo. Ahora que Anastasia le ayudaba a no sentirse tan indefenso y traumatizado, Iván fue capaz de reconocer su necesidad de ayuda y consejo. Para mejorar su gobierno y proveerse de una plataforma de apoyo y guía, Iván estableció el primer *zemskisobor*.

El nombre se traduce como «asamblea de la tierra» y, esencialmente, fue la primera reunión parlamentaria en la historia de Rusia. Estaba formada por representantes de muchos rangos sociales diferentes, incluyendo boyardos, clérigos, monjes e incluso plebeyos, siempre y cuando fueran hombres libres y poseyeran tierras. Iván presidía estas reuniones y las celebró a menudo a lo largo de su reinado, por lo general para discutir temas importantes como las guerras. Las reuniones de *zemskisobor* se convertirían en parte del gobierno ruso hasta bien entrado el siglo XVII.

En 1550, a solo tres años de haber iniciado su reinado, Iván fue capaz de elaborar un código legal completamente nuevo con la ayuda de estos miembros más experimentados del gobierno. El código anterior que Rusia había estado utilizando tenía medio siglo de antigüedad y tenía raíces cuestionables. Este se basaría en la justicia, como Makarile alentó a hacerlo, y estaría bien arraigado en las Escrituras según la Iglesia ortodoxa Oriental. Este nuevo código fue conocido como el Sudébnik de 1550.

Sin embargo, antes de que finalizara el Sudébnik, Iván se enfrentaría a su primer desastre como zar. En el primer año de su reinado, tendría que encarar la amenaza de la destrucción casi total de su sede de gobierno. Moscú estaba a punto de soportar una tragedia.

* * * *

Las llamas rugieron. Se agitaron y cargaron, golpeadas por el viento en algo que era menos como un hecho natural sin sentido y más como una bestia vengativa que buscaba destruir cualquier cosa que se interpusiera en su camino. Casas y calles, negocios y graneros, gente y animales —no importaba; todo era blanco fácil para el rugido de las llamas que recorrían las calles de Moscú, más rápidas y más destructivas que cualquier ejército invasor.

Iván, de dieciséis años, tuvo que mirar impotente desde las ventanas del Kremlin mientras el fuego se acercaba cada vez más. La mayor parte de Moscú en esa época estaba construida de madera, y cada casa a la que llegaba el fuego no era más que combustible. En cuestión de segundos calles enteras fueron envueltas en llamas y el día se volvió negro por el humo que alcanzó sus sinuosos zarcillos para estrangular al sol. Mientras Iván observaba, se produjo un terrible crujido, como el sonido de un cañón enemigo. Por todas partes, los residentes de la ciudad que huían caían al suelo, e Iván mismo se agachaba, aferrándose al alféizar de la ventana, pero no había ningún enemigo excepto el propio fuego. Había llegado a una armería en algún lugar y encontró un barril de pólvora, y el humo blanco de la explosión floreció en el aire.

Las calles se llenaron de una estampida de gente en pánico. Campesinos y nobles, esclavos y amos, no había ningún rango allí, nada más que miedo mientras huían de las llamas ardientes. Miles de personas inundaron la ciudad mientras huían, corriendo unos sobre otros, pisoteándose y aferrándose a los niños y a las posesiones que habían logrado arrebatar de los dientes del fuego. El chasquido y el silbido del fuego fueron puntuados por los gritos de aquellos que no habían tenido la suerte suficiente. Los agonizantes sonidos animales de terror y dolor se elevaron hasta el cielo mientras las personas quedaban atrapadas y se quemaban hasta morir en las despiadadas llamas.

El calor del fuego era tal que la piedra se agrietaba y el metal se derretía. Cobre caliente, de color rojo brillante, bajaba por las paredes de las casas; había gritos de dolor en aquellos lugares donde goteaba sobre la gente, quemando la ropa y carcomiendo carne humana. El olor era espantoso y el humo era tan denso que era casi imposible respirar, pero empeoraba con el hedor de la carne escaldada, en parte perteneciente a animales, pero la mayoría era de la gente que se quemaba y moría, impregnando el aire. Y aun así, el fuego siguió adelante, saltando de casa en casa, acechando a través de la ciudad como un león a la caza.

El fuego no tenía ningún respeto por el rango de aquellos cuyas casas fueron diezmadas. En ese laberinto de viviendas de madera, con callejones estrechos y tortuosos, incluso un moderno servicio de bomberos habría encontrado casi imposible contenerlo; sin mangueras, camiones de bomberos, bocas de incendio o un sistema de agua organizado, los ciudadanos de Moscú no tenían ninguna posibilidad. Iván no pudo hacer más que observar como la bestia devastadora se acercaba cada vez más al Kremlin.

El humo llenó el aire de la Catedral de la Dormición, en lo profundo del Kremlin, hundiéndose en los pulmones de Makari quien se arrodilló en una desesperada oración por su ciudad. Se negó a ceder incluso después de que la mayoría de las personas de la catedral habían huido. Eventualmente, algunos de los clérigos tuvieron que arrastrarlo fuera del edificio, elevándolo hasta una brecha en los muros del Kremlin para bajarlo a la orilla del río por medio de una cuerda. Iván y Anastasia probablemente estaban ocupados evacuándose a sí mismos, corriendo desde la fortaleza que soportaría cualquier ejército. pero no la fuerza de la naturaleza que estaba reduciendo la capital de Rusia a cenizas. Makari, sin embargo, aún se resistía; quería volver a la catedral para mantener su silenciosa y desesperada vigilia. Se habría resistido más si hubiera sabido que el plan de sus compañeros para bajarlo a salvo a la orilla del río era un fracaso. La mano de alguien resbaló, o quizás la cuerda se rompió, o quizás simplemente se precipitaron en su prisa y pánico. De cualquier manera, Makari cayó al suelo, azotándose al borde del río con un golpe plano y aterrador. Tuvieron que llevarlo a un lugar seguro, su corazón apenas latía dentro de un cuerpo roto.

En cuanto a Iván, solo podía mirar hacia atrás en una ciudad en llamas, mientras miles de personas perecían en el incendio, con la esperanza de que su propio hogar pudiera sobrevivir al ataque de las llamas. Fue uno de los pocos afortunados. El Kremlin, aunque ennegrecido por el humo, no fue destruido. Pero para cuando el fuego finalmente se apagó en la madrugada del 22 de junio de 1547, 80.000 de los súbditos de Iván se darían cuenta de que no habían tenido tanta suerte. Solo dos tercios de los edificios de Moscú seguían en pie, muchos de ellos dañados y manchados por el humo; el resto no eran más que cenizas y escombros. Según algunas estimaciones, unas 3.700 personas murieron. Los niños no se incluyeron en este recuento, por lo que solo se puede especular sobre cuántas personas perecieron ese día de la manera más brutal, quemadas hasta morir en sus propios hogares y negocios.

Iván y Anastasia habían huido a Sparrow Hills, un área en las afueras de Moscú. Buscaron refugio allí del fuego y permanecieron a salvo de su horrible poder, pero el problema de Iván no había terminado. Con 80.000 personas sin hogar, las clases bajas estaban desesperadas, asustadas y buscando a alguien a quien culpar. Ese alguien se convirtió en Anna Glinskaya, la abuela de Iván que fue acusada de usar brujería para quemar Moscú. Parecía sospechosa para el campesinado desde que no logró mantener la regencia de su hija después de la muerte de Elena. Se formaron multitudes en las calles, gente con el rostro cubierto de hollín y el pelo chamuscado, con las cejas quemadas en sus rostros, ampollas en las manos y la voz ronca y áspera por la inhalación de humo. Asaltaban Sparrow Hills con los labios ennegrecidos y los ojos anchos y blancos, gritando por aquello que percibían como justicia. Iván se encontró atrapado en su casa, despojado de las fortificaciones que habían hecho del Kremlin una residencia segura. Tuvo que enfrentarse a las multitudes gritonas con poco que ofrecerles. Tenía solo dieciséis años y solo seis meses de reinado, y ya su pueblo se rebelaba contra él por algo que se encontraba completamente fuera de su control.

La multitud pedía a gritos la sangre de su abuela, exigiendo que Iván se la entregara. Habría sido tan fácil para el joven gobernante entrar en pánico y volver a sus salvajes y locas maneras, quizá enviar un ejército para aplastar a la gente desesperada o cabalgar y matarlos él mismo de la misma forma en que había galopado por las calles y derribado peatones hace solo unos años antes. Pero no era el chico que había sido entonces. Era un hombre racional y estable gracias a la presencia de la dulce y gentil Anastasia a su lado. Ella lo calmó, lo tranquilizó y le permitió pensar con claridad. Y así, en lugar de entrar en pánico, Iván negoció. Se negó a entregar a su abuela, pero logró calmar a la multitud con promesas de leyes que impedirían que esto volviera a suceder. Poco después, Iván cumplió su promesa. Hizo una ley para que cada residencia tenga un barril de agua en su techo, otro en su jardín, y para que las estufas de cocina se mantengan lejos de los edificios residenciales. Estas precauciones fueron un gran paso en dirección a proteger del fuego a Moscú, aunque en los últimos años del reinado de Iván quedaría demostrado que no serían suficientes. También hizo algunos cambios en la administración que permitieron a los miembros de las clases bajas tener algo más de poder en los cargos inferiores del gobierno.

Iván había resistido la primera gran tormenta de su reinado, y lo había hecho de manera admirable, negociando una solución pacífica a lo que podría haber sido una rebelión sangrienta y dando pasos significativos para evitar que una tragedia como esta volviera a ocurrir. Mientras se quedaba con una ciudad devastada y se enfrentaba a la monumental tarea de reconstruir Moscú, el futuro de Iván lucía brillante. Y durante los próximos años, su reinado solo sería más brillante.

Capítulo 8 - Libros y catedrales

Ilustración V: Catedral de San Basilio, hoy en día

Incluso mientras intentaba reconstruir Moscú, la atención de Iván pronto fue demandada en el frente más distante del río Volga.

A 500 millas de las cenizas de la capital de Iván, se encontraba la ciudad de Kazán. Era un brillante fragmento de los pedazos destrozados de la Horda de Oro, el gran reino mongol que una vez había dominado a lo largo y ancho de Rusia. Iván el Grande había liberado a su país de su tiranía, pero no había logrado conquistar Kazán. Permaneció como el último bastión de esa gran potencia y una inquietante amenaza en la frontera de Rusia. Kazán controlaba el río Volga, una importante ruta comercial, impidiendo a Rusia comerciar con Siberia y otras zonas. Peor aún, el pueblo de Kazán realizaba frecuentes incursiones en la propia Rusia, saqueando ciudades por sus tesoros e incluso secuestrando rusos para venderlos a los mercados de esclavos persas y turcos.

Algo habría que hacer con respecto a Kazán. Y en el momento en que Iván tomó el poder, decidió que había llegado la hora de hacerlo. Ignorar el problema no solo resultaría en la continua incapacidad de Rusia para comerciar a lo largo del Volga, sino que Iván temía que los tártaros de Kazán pudieran incluso invadir; dado el tiempo y el espacio para hacer crecer su ejército, podrían incluso volver a la antigua gloria de la Horda Dorada y causar tantos estragos como sus antepasados. Iván estaba decidido a seguir los pasos de su abuelo y de una vez por todas librar a Rusia de los tártaros.

El mismo año en que fue nombrado zar, Iván envió un ejército de campaña a Kazán en un intento de poner de rodillas al último de los tártaros. También ordenó que se construyera la fortaleza de Sviyazhsk a orillas del Volga, frente a Kazán; fue diseñada río arriba por los mejores arquitectos de Rusia, e incluso las piezas de la fortaleza se construyeron allí, flotando hacia el frente en trozos numerados como una casa prefabricada.

Aun así, durante tres años, los rusos lucharon contra los tártaros, sin ganar nunca ningún terreno y sin ganar ninguna batalla importante. Se construyó Sviyazhsk, el ejército fue a la batalla, pero no sirvió de nada. Para 1552, Iván —entonces de veintitantos años— había enviado dos campañas diferentes contra Kazán, pero la fortaleza de sus enemigos se mantuvo obstinadamente en su lugar, desafiando su autoridad como zar de todas las Rusias. Así que Iván finalmente decidió que tendría que dirigir él mismo su ejército. Le dio un beso de despedida a Anastasia, dejándola atrás en la seguridad del Kremlin, y se fue a la guerra.

Los últimos cinco años habían sido la época dorada del reinado de Iván con muchas reformas en el gobierno, incluyendo varias que limitaban el poder de los odiados boyardos que habían hecho la infancia de Iván tan indeciblemente miserable. Sin embargo, personalmente, para el propio Iván había habido momentos profundamente difíciles. Anastasia le había dado su primer hijo en 1548, una niña que se parecía tanto a su madre que la llamaron Anna. Disfrutó de toda la felicidad que a Iván se le había negado de niño. Aunque Iván solo tenía dieciocho años en ese momento, con Anastasia aún más joven, no era una edad inusual para convertirse en padres durante esa época. La pequeña Anna habría tenido excelentes cuidados de sus experimentadas enfermeras, así como de sus padres. Pero tristemente, a pesar de los cuidados que recibían, los niños medievales seguían jugando un peligroso juego de supervivencia simplemente por estar vivos. Con las tasas de mortalidad infantil en la Edad Media en aumento hasta el cincuenta por ciento, todos los niños tenían pocas posibilidades de llegar a la edad adulta, sobre todo debido a las malas prácticas médicas que permitían que muchas enfermedades infantiles se extendieran. La pobre Anna probablemente sucumbió a una de ellas, falleciendo en 1550, un mes antes de su segundo cumpleaños.

Menos de un año después de la muerte de Anna, Anastasia dio a luz a otra niña. Esta, llamada María, nació el 17 de marzo de 1551. Aunque se desconoce la fecha de su muerte, María tampoco vivirá mucho tiempo. Posiblemente todavía estaba viva cuando su padre se fue a Kazán en 1552.

Aun así, Iván y Anastasia eran jóvenes, y él sabía que vendrían más niños. Tenía a Anastasia, así que sintió que nada podía oponérsele, ya que su amorosa presencia le daba la seguridad a la que no había podido aferrarse desde la muerte de su madre, Elena. Ahora, cabalgaba confiado hacia Kazán, decidido a finalmente someterlo.

Era el verano de 1552, e Iván tenía casi veintidós años, pero estaba a la cabeza de un tremendo ejército. Con 150.000 hombres, consistía en infantería, caballería, e incluso artillería pesada que sería necesaria para derribar los fuertes muros de piedra de Kazán. Iván había intentado negociar con el Khan de Kazán, pero todos los intentos de encontrar una solución pacífica habían fracasado. Finalmente, Iván había amenazado al Khan con una guerra, convirtiéndolo en un conflicto de religiones cuando la Rusia ortodoxa oriental se encontró con la de Kazán musulmana. El Khan fue arrogante en su respuesta. «Todo está listo para ti aquí», le dijo desdeñosamente al joven zar. «Te invitamos a la fiesta».

Y así, el 30 de agosto de 1552, Iván y su ejército montaron sus tiendas a orillas del Volga, decididos a tomar Kazán. Mientras Iván estaba en el ejército, fue dirigido principalmente por comandantes militares más experimentados, entre ellos el amigo íntimo de Iván, Andrei Mijáilovich Kurbsky.

De inmediato, arrastraron las armas más intimidantes que tenían en su arsenal: los cañones. Estas majestuosas armas podían causar una cantidad impresionante de carnicería, lanzando pesados proyectiles a través de vastas distancias para aplastar a los soldados contrarios y destruir secciones enteras de los muros del castillo. Fue bajo una lluvia torrencial y con varios cañones que Iván abrió su ataque a Kazán, martillando los muros con balas de cañón que atravesaban la madera. Sin embargo, de alguna manera esos muros parecían impenetrables a pesar de la destrucción sembrada por los cañones de Iván. Los tártaros se apresuraron a reparar sus fortificaciones rotas, pululando sobre las murallas de su fortaleza y sosteniéndola contra el ataque mortal.

A través de la lluvia torrencial, Iván ordenó a su infantería que avanzara. Parpadeando y luchando contra el viento, cargaron, pero fueron repelidos sin esfuerzo. Peor aún, cuando volvieron tambaleándose al campamento, encontraron que sus tiendas aleteaban inútilmente al viento; todo estaba empapado, y la pólvora que impulsaba los cañones de Iván estaba amenazada por la tormenta.

Iván solo podía pensar en una explicación para el terrible clima. El pueblo de Kazán, considerado por los rusos como paganos diabólicos, estaba lanzando una especie de maldición sobre su ejército. Debieron mandar la tormenta para detener a sus enemigos. Ordenó que se llevara una reliquia religiosa al campo de batalla, y la leyenda dice que la tormenta se detuvo de inmediato.

Ahora, los hombres de Iván podían renovar su ataque, y lo hicieron con vigor y celo, espoleados por la esperanza de que los poderes divinos estuvieran de parte del zar. Socavando las defensas de los tártaros, los rusos empezaron por fin a derribar algunas de las murallas de Kazán. Un gran avance se produjo varias semanas después del asedio, cuando los hombres de Iván lograron volar el sistema de agua de Kazán, dejando a los ciudadanos indefensos y su situación se volvió repentinamente desesperada. Sin agua, la ciudad no podía resistir el poderío de Iván.

Aun así, los defensores se aferraron sombríamente, sabiendo que dejar las armas ahora significaría que de todos modos la mayoría de ellos serían masacrados —tal era la guerra de asedio de la Edad Media. Iván, de rodillas y rezando desesperadamente por la victoria, pensó en una nueva táctica. Hizo que sacaran a algunos de sus prisioneros tártaros y los condujo hasta donde quedaran a la vista de los defensores, ordenándoles —probablemente por la fuerza— que rogaran a su gente que se rindieran y acabaran con ello. Mientras las voces aterrorizadas de los prisioneros se elevaban en el aire, una lluvia de flechas se elevó para enfrentarse a ellos. Los defensores derribaron a su propia gente, que estaba atada entre los soldados de Iván.

Su brutal desafío resultó ser infructuoso. El 2 de octubre de 1552, Iván contempló la ciudad asediada y supo que ya había ganado. Dio la orden, y su ejército se apresuró a avanzar, una oleada de infantería golpeó las puertas de Kazán. Iván permaneció en el campamento, rezando por una victoria en su primera campaña como zar. Y mientras esperaba, las murallas de Kazán cayeron por fin. Las personas que estaban dentro fueron pasadas a espada, e Iván no hizo ningún movimiento para evitar que sus hordas sedientas de sangre masacraran todo a su paso. Cientos ya habían muerto en el asedio, y cientos más murieron ese día cuando los rusos por fin pudieron descargar su furia en su obstinado y tenaz enemigo.

* * * *

Kazán fue prácticamente arrasado. Las fuerzas rusas invadieron la ciudad, y su victoria fue tan decisiva como completa, dejando a Iván con el control total de Kazán y el Medio Volga. Su victoria abrió la ruta comercial que había estado esperando desesperadamente controlar, e Iván regresó a Moscú para recibir una bienvenida de héroe, así como buenas noticias. Anastasia había dado a Iván su tercer hijo, y esta vez, era un niño pequeño. Iván no se enfrentaría a la misma lucha que su padre. El niño se llamaba Dimitri.

Para celebrar la anexión de Kazán, Iván ordenó la construcción de una de las iglesias más famosas de Rusia: La Catedral de San Basilio. Esta imponente obra de arte, una obra majestuosa de elegantes curvas y colores brillantes, fue completada en 1554. Desde entonces se ha convertido en un punto de referencia de Moscú; situada en el centro de la famosa Plaza Roja, la catedral está ahora pintada en colores deslumbrantes con brillantes diseños en sus tejados estampados. Sin embargo, cuando Iván ordenó su construcción, fue un estudio de la elegancia en piedra blanca, con su techo revestido de oro cegador. Fue diseñada para que coincida con el Kremlin, y su belleza era incomparable— tanto es así que existe una leyenda que afirma que Iván hizo que cegaran brutalmente a su arquitecto para que nunca pudiera construir algo que fuera igual a ella. Esto, sin embargo, ha demostrado ser nada más que un mito.

La verdad es que cuando la catedral de San Basilio tomó forma en el umbral de la puerta de Iván, él aún no se había ganado el apodo de Iván el Terrible. La crueldad que había moldeado su niñez aún se ocultaba, mantenida dormida por la canción de cuna de la presencia de Anastasia. Con el bebé Dimitri en sus brazos, ella seguía siendo un puerto seguro para el alma tormentosa de Iván.

Su gobierno continuó en relativa paz y éxito durante los siguientes siete años. Iván ordenó la introducción de la primera imprenta en Rusia en 1553, un año después de la caída de Kazán. La Imprenta de Moscú era su hogar, un edificio majestuoso, como un palacio en el corazón de Moscú. Hoy en día los elegantes pilares blancos y los salones extravagantes de la imprenta albergan una universidad, pero durante el reinado de Iván, se imprimieron allí múltiples libros en ruso y se distribuyeron por todo el país. Fue un gran avance en la literatura y la educación, y fue el intento de Iván por volver a los únicos compañeros que había tenido en su oscura y problemática infancia - los libros y la lectura.

Para 1556, Iván había anexado Astracán, otra ciudad enemiga más lejana del Volga, relativamente de forma pacífica. Ahora tenía el control completo de las rutas comerciales a Siberia. Los mercados de esclavos fueron destruidos, y mientras miles de musulmanes fueron desplazados para dar cabida a los ciudadanos ortodoxos orientales de Iván, la anexión de este kanato abrió las fronteras culturales de Rusia.

Todo iba bien para el joven zar. Por primera vez en su vida, tenía control y comodidad, junto con una familia joven y segura, un país floreciente, y gente que era leal a su primer gobernante estable desde la muerte de Vasili. El futuro se veía brillante para Iván, y sus crueles y extrañas costumbres parecían haber quedado atrás en las sombras de su infeliz pasado.

Poco sabía que su vida, y el destino de toda Rusia, estaba a punto de dar un giro terrible.

Capítulo 9 - La muerte en la familia

Ilustración VI: Una figura de medios mixtos de la zarina Anastasia Romanovna de George S. Stuart, fotografiada por Peter d'Aprix

Iván temía estar en su lecho de muerte.

Temblando de debilidad, con su piel ardiente, y seca rozando su ropa de cama, Iván apenas podía distinguir la forma del techo sobre él. Los sueños febriles se perseguían a través de su mente y en su realidad, trayendo imágenes de su terrible pasado. Vagos parpadeos de la cara de su padre se desvanecían en imágenes de su madre. El sonido de su risa. Su olor. Los gritos cuando la encontraron, fría y sin vida, envenenada por los boyardos. Iván se arrojó en la cama, con su pelo negro empapado de sudor mientras gemía contra los sueños que seguían llegando. Aferrándose a Yuri con un terror abyecto mientras los boyardos luchaban fuera de sus habitaciones, hambrientos, asustados y solos. Cabalgando por las calles de Moscú, pisoteando todo a su paso. La extraña satisfacción que encontró en herir a otros. Los gritos de Andrei Shuisky cuando los sabuesos de caza lo desgarraron miembro por miembro. La coronación de Iván como zar. Anastasia...

Anastasia. Iván abrió los ojos. Anastasia se inclinó sobre él, su hermoso rostro se alineó con preocupación. Puso una mano fría sobre su frente ardiente, y pudo ver la preocupación en sus ojos. Los médicos de Iván le habían dicho que la enfermedad que tenía no se podía curar. Aunque solo tenía 23 años, iba a morir joven.

El hecho de que Iván tuviera un hijo y un heredero -Dmitri, que entonces tenía solo unos meses- no le sirvió de mucho consuelo. Vasili también tenía un heredero cuando murió, pero debido a que Iván era tan joven, toda Rusia estaba todavía sumida en el caos y la oscuridad mientras los boyardos luchaban por el poder. Iván sabía que no podía permitir que pasara lo mismo. Aunque sus reformas habían despojado a los boyardos de gran parte de su poder, no había nada que les impidiera apoderarse del país que Iván había cultivado tan cuidadosamente y destrozarlo en sus mandíbulas esclavas, al igual que los perros de Iván habían desgarrado a Andrei Shuisky miembro por miembro.

Iván estaba desesperado. No podía dejar que eso le sucediera a su Rusia, y no podía condenar a su amada esposa a la lucha que Elena tuvo que afrontar en sus últimos años, y mucho menos permitir que Dimitri sufriera la infancia que él había soportado. Creyendo que se estaba muriendo, envió mensajes a todos los boyardos, exigiéndoles que juraran su lealtad incondicional al bebé Dimitri.

Los boyardos también sabían que estaba muriendo. Y como un solo hombre, se negaron.

* * * *

Sin embargo, Iván no murió a pesar de lo que dijeron sus médicos. Se recuperó, aunque algo en su mente nunca volvió a ser igual. Fue como si la fiebre le hubiera quitado algo de la alegría y la paz que Anastasia había traído a su psique, revelando una vez más el dolor crudo y la crueldad agonizante que lo habían caracterizado de niño. Algunos historiadores especulan que los efectos fisiológicos de la enfermedad, cuya naturaleza es aún incierta, condujeron a su decadente salud mental. Sin embargo, la negativa de los boyardos a aceptar al pequeño Dimitri como su gobernante podría haber sido igualmente culpable. Los odiados boyardos que habían hecho la infancia de Iván tan indeciblemente miserable habían cometido lo que él veía como un terrible acto de traición, e Iván no podía perdonarlos.

Incluso si los boyardos hubieran accedido a jurar lealtad a Dimitri, al final no habría importado. Solo unos meses después de la milagrosa recuperación de su padre, el pequeño Dimitri se resbaló de los brazos de su nana y cayó al suelo mientras caminaba con él por los terrenos del Kremlin. Antes de que pudiera atraparlo, el pequeño cayó al río. Cuando aún no tenía un año, el pequeño zarévich se ahogó.

A pesar de la traición de los boyardos y de la muerte de Dimitri, parece que Iván se las arregló más o menos para recomponerse y arreglárselas... o quizás fue Anastasia la que pudo volver a unir su alma herida después de cada golpe. Ella permaneció firmemente a su lado durante todo el tiempo, y después de su recuperación, Iván pareció volver a su ser normal por un tiempo y volvió a la campaña y a las conquistas.

Una vez que tanto Kazán como Astracán fueron capturados, Iván puso sus miras aún más lejos: Livonia. Compuesta por tierras que hoy forman parte de Letonia y Estonia, Livonia era un país fronterizo con Rusia, que bloqueaba el paso de los comerciantes rusos al Mar Báltico. Deseoso de abrir otra ruta comercial, Iván decidió lanzar una campaña para invadir Livonia y capturarla para expandir el territorio de Rusia. En 1558, comenzó la Guerra de Livonia, un conflicto que continuaría durante muchos años.

El precario equilibrio del frágil estado mental del zar se había tambaleado, pero volvió a la normalidad. Sin embargo, no permanecería así por mucho tiempo. Una tragedia estaba a punto de ocurrir, una que, incluso después de la muerte de sus padres y la pérdida de varios hijos, sería demasiado para Iván el Terrible.

* * * *

Cuando el verano de 1560 trajo un rubor verde a las mejillas del campo que rodeaba Moscú, Iván miró por las ventanas del Kremlin, estudiando con satisfacción la ciudad sobre la que gobernaba. Era hermosa y bulliciosa; los brillantes techos dorados de su nueva catedral atrapaban el sol, recordándole su rotunda victoria sobre Kazán. Iván esperaba que otra gran victoria estuviera a su alcance, después de oír las alegres noticias del frente de Livonia, donde sus hombres habían derrotado con éxito a muchos de los caballeros livianos, según Andrei Mijáilovich Kurbsky, el mismo comandante que ayudara a conducir al ejército de Iván a la victoria en Kazán.

En cuanto a su vida hogareña, las cosas estaban mejorando. Anastasia seguía en plena salud y había dado a luz a tres hijos más desde la muerte del pequeño Dimitri: otro niño, Iván, en 1554; una hija llamada Eudoxia en 1556; y un tercer hijo, Feodor, en 1557. La pequeña Eudoxia solo sobrevivió dieciocho meses, uniéndose a los tres primeros hijos de Iván en las tumbas reales. Pero Iván Ivánovich y Feodor estaban sanos y fuertes. Iván estaba particularmente orgulloso de su hijo mayor, que acababa de cumplir seis años. Era un niño vivaracho, inteligente, y se le daba todo lo que a Iván se le había negado de niño. Iván estaba decidido a darle a su hijo el mejor comienzo posible, después de todo, un día sería zar.

Iván sonrió para sí mientras miraba la ciudad. Nunca podría haber pedido una zarina mejor que su amada Anastasia. Era tan hermosa como gentil y le había dado hijos sanos y vigorosos. Las pruebas sugieren, también, que el amor de Anastasia por Iván era genuino y ferviente. Ella lo amaba no solo por lo bien que gobernó durante su matrimonio, sino también por lo mucho que la cuidaba. Y él no podría haberla cuidado más que aquel día de verano de 1560 cuando la zarina Anastasia Romanova se enfermó repentina e inexplicablemente. Iván corrió a su cabecera para encontrar en su joven esposa, que había estado tan saludable solo unos días antes, un mero fantasma de sí misma. Sus pensamientos y palabras estaban revueltos; normalmente tan paciente, ahora su humor cambiaba de forma salvaje, y sus manos temblaban incontrolablemente.

De inmediato, los mejores médicos de la ciudad fueron convocados y ordenados para salvar a la zarina. Impulsados por los salvajes gritos de Iván, hicieron todo lo que pudieron por Anastasia. Pero a medida que pasaban los días y las semanas, no mejoraba, sino que empeoraba. El sudor empapó su pelo marrón, clavándolo en la almohada mientras jadeaba y se azotaba en su lujosa cama. Su rostro impecable estaba pálido, su ropa manchada de sudor y vómito, y su aliento se tornaba irregular y con jadeos mientras sus músculos luchaban y no lograban realizar sus funciones diarias. Sus miembros se movían incontrolablemente, y mientras Iván la miraba fijamente a sus oscuros ojos y le imploraba que volviera a él, parecía que ella ya no podía reconocerlo o quizás ya no podía ver, no podía acertar cuál.

Iván gritó; golpeó las paredes con sus puños, aulló, se enfureció, rezó y suplicó que su hermosa esposa viviera. Pero Anastasia estaba demasiado lejos. El 7 de agosto de 1560, a la edad de solo treinta años, respiró por última vez. La dulce alma joven que había templado la locura del gobernante supremo de Rusia había dejado el mundo.

Decir que Iván estaba devastado sería un eufemismo repugnante. No solo estaba desconsolado, sino que era como si la muerte de Anastasia hubiera llegado a su pecho y le hubiera arrancado el corazón, dejando solo un doloroso y vacío agujero. Su muerte no lo hirió; lo destruyó. El hombre en el que se había convertido como su marido -el hombre que podría haber sido todo el tiempo si su infancia no hubiera sido una prueba tan dura- se había ido, destrozado, desgarrado por su inconsolable pérdida. Iván parecía haber perdido la cabeza ante tan insuperable dolor. Se tiró al suelo de su fortaleza y se golpeó la cabeza una y otra vez contra el mármol hasta que su sangre corrió y se desparramó, y aun así siguió adelante, tratando de sacarse la agonía a martillazos. Anastasia era la única que había sido capaz de manejarlo en su furia; ahora, no había nadie, y los dos hijos pequeños de Iván solo podían escuchar como su padre se mutilaba en su terrible dolor.

Anastasia fue puesta a descansar en el Convento de la Ascensión en el Kolomenskoye, no lejos de la iglesia del mismo nombre construida para honrar el nacimiento del propio Iván. Los dos niños pequeños estaban ahora sin madre, y su padre se volvió loco de dolor. En los meses siguientes, Iván iniciaría una carrera de torturas y ejecuciones, convencido de que Anastasia había sido envenenada por uno de los odiados boyardos. Lo habían traicionado cuando estaba enfermo, lo habían odiado de niño, y ahora estaba seguro de que habían matado lo único que podía aliviar su corazón herido. Todavía no se sabe si los boyardos mataron a Anastasia, pero los historiadores han descubierto pruebas que sugieren que Anastasia fue envenenada con mercurio. No hay forma de saber exactamente quién la envenenó, pero Iván estaba demasiado sumido en la agonía de su duelo como para preocuparse. Torturó y mató a cualquiera del que sospechara vagamente, buscando consuelo una vez más en herir a los más débiles que él ahora que Anastasia ya no estaba ahí.

Lamentablemente, esto fue solo el comienzo. El reinado de Iván y su vida personal caerían en un terrible barrizal tras la muerte de Anastasia. Y los boyardos, estuvieran o no involucrados en algún crimen, estaban a punto de pagar por todo lo que sus familias le habían hecho.

Capítulo 10 - Traición

A Iván solo le quedaba un amigo en todo el mundo después de la desaparición de Anastasia. Mientras que el pueblo ruso lo adoraba - con la obvia excepción de los boyardos - Iván nunca pareció capaz de formar lazos estrechos con nadie más que su esposa y su único amigo cercano: Andrei Mikhailovich Kurbsky.

Kurbsky había formado parte del reinado de Iván desde el principio, ayudándole en su primera campaña militar contra Kazán y ahora luchando en Livonia. Cuando Anastasia murió, era natural que Kurbsky se acercara a su amigo y tratara de traerle alguna forma de consuelo. Pero mientras Iván seguía causando estragos en las filas de los boyardos, dañándolos y matándolos a diestra y siniestra, Kurbsky comenzó a alejarse de su viejo amigo. Aunque el mismo Kurbsky parece haber sido un hombre bastante justo y racional, él mismo era un boyardo, y había conocido personalmente, e incluso estaba relacionado, con muchas de las personas que Iván trataba tan despiadadamente. Kurbsky quería que el asesino de Anastasia fuera castigado, como toda Rusia, pero sabía que Iván no estaba actuando por justicia. Actuaba buscando alguna forma de expresar y aliviar el increíble dolor que estaba sintiendo.

Tal vez Kurbsky trató de hacer entrar en razón a Iván. Tal vez incluso trató de detenerlo. Pero Iván no aceptaba nada. Su dolor era incoherente y abrumador, y tenía el poder de lidiar con él de la manera que quisiera, incluso si eso significaba tomar vidas inocentes.

Kurbsky había estado peleando las guerras de Iván por décadas, y estaba empezando a cansarse de su gobernante malhumorado. Así que empezó a alejarse de él, distanciándose lentamente del tempestuoso zar.

* * * *

Se podía esperar fácilmente que Iván no se volviera a casar, no después de la muerte de la única persona en el mundo a la que había amado de verdad. Pero ya sea por presión política, la esperanza de dar a sus hijos una madrastra, o simplemente un desesperado anhelo de compañía que lo impulsó a hacerlo, Iván comenzó a buscar otra esposa casi antes de que el cuerpo de Anastasia se enfriara.

Comenzó la búsqueda de una novia adecuada para el zar de todas las Rusias, pero esta vez no con el mismo ánimo festivo que había provocado el desfile de novias hace trece años, cuando Iván se enamoró genuinamente de la joven hija de un noble menor. El corazón de Iván se había ido ahora, desgarrado por la muerte de Anastasia. Ahora buscaba una esposa por su apariencia, riqueza o poder. Y María Temryukovna era todo lo anterior.

La hija del príncipe musulmán de Kabarda, una parte de la región del Cáucaso, María poseía una belleza llamativa e inestimable. Ella atraía las miradas a donde quiera que iba con su tez suave y ojos brillantes, y lo que era más, su matrimonio era de importancia estratégica y simbólica. El Cáucaso limitaba con Rusia, y aunque la guerra de Livonia aún estaba en marcha, Iván siempre estaba atento a la manera de expandir su territorio. El Cáucaso era el siguiente paso lógico, y casarse con su nobleza era el primer paso lógico. Iván fue capturado por la apariencia de María, pero fue persuadido por su linaje, y se casaron en 1561.

Toda Rusia adoraba a Anastasia. Ella les había dado un gobernante estable y sensato que había sido capaz de mejorar la vida de muchas personas. Pero María era otra historia. Bella o no, ella era, en primer lugar, una pagana a sus ojos. Aunque se convirtió a la Iglesia ortodoxa para casarse con Iván, todavía era vista como una extranjera de una religión extranjera, y no ayudó que la última petición de Anastasia a Iván fuera pedirle que no se casara con una mujer pagana. Su matrimonio con María fue directamente en contra de los deseos de Anastasia.

Para empeorar las cosas, el temperamento de María estaba tan alejado del de Anastasia como se podía imaginar. Donde Anastasia había sido sabia, devota, gentil y adepta a controlar los cambios de humor de su marido, María era vana y superficial. No cumplía con sus responsabilidades como madrastra de Iván Ivánovich y Feodor, y lo que es peor, era prácticamente analfabeta. La pareja no se llevaba bien a ningún nivel, y ella se fue haciendo cada vez menos popular entre la gente.

Pasaron dos años de matrimonio y finalmente, en 1563, María dio a luz a su primer hijo. Era un niño pequeño, e Iván le puso el nombre de Vasili en honor a su padre, complacido de que ahora tenía tres hijos pequeños para cuidar de Rusia cuando él no estuviera. Vasili, sin embargo, murió cuando tenía menos de dos meses de edad, y María no volvería a tener hijos.

Iván estaba una vez más experimentando profundamente ese aislamiento que le había asolado como un pequeño huérfano en el Kremlin cuando su único compañero había sido su hermano menor sordo y mudo. Ahora, incluso Yuri ya no estaba al lado de Iván; a pesar de que Iván le había proporcionado todo lo que podía necesitar, murió de causas naturales en 1563. Fue seguido de cerca por el metropolita Makari, que nunca se recuperó del todo de las heridas que recibió cuando cayó durante el gran incendio de 1547. Había sido uno de los más firmes partidarios de Iván, y murió pacíficamente en 1563.

Y así, saqueado por el dolor, torturado por su pasado, drenado por la constante paranoia, y sintiéndose completamente solo, el emperador vagó por los pasillos del Kremlin, un barco arrojado sobre aguas tormentosas, su ancla despojada por los elementos crueles. Las atrocidades que Iván había cometido y que todavía cometería han llevado a los historiadores a etiquetarlo como un psicópata, pero al examinar las trágicas circunstancias de su solitaria existencia, es una suposición poco probable.

El problema no era que Iván no tuviera sentimientos. Era que tenía demasiados.

* * * *

Para 1564, Iván había tomado pocas medidas en cuanto a la administración de su país desde la muerte de Anastasia. Atrapado por su miedo y soledad, más o menos había mantenido a Rusia en funcionamiento; la guerra en Livonia continuó con poco progreso real para ambos bandos.

Esto frustró a Kurbsky interminablemente. Mientras Iván andaba apático en el Kremlin, Kurbsky estaba en el frente, viendo morir a sus hombres. La falta de progreso de Rusia estaba costando miles de vidas en la lucha, y Kurbsky tenía que hacer algo al respecto. Temía, también, por su vida y por la de su familia; muchos de los boyardos ya habían sido asesinados después de la muerte de Anastasia, y Kurbsky no estaba seguro de que la paranoia de Iván tuviera límites.

Por el contrario, el oponente de Iván, el Rey Segismundo II de Polonia, era un gobernante capaz y experimentado que había logrado unir Polonia, Lituania y Livonia en un poderoso reino. Era capaz, fuerte y activo en la expansión y fortalecimiento de su reino. Kurbsky sentía que estaría más seguro y tendría más éxito sirviendo a Segismundo que al inestable zar que una vez había sido su amigo íntimo, y así, desertó al lado de Livonia, yendo a Segismundo para ofrecerle sus servicios como comandante militar. Sabiendo que Kurbsky era uno de los mejores de Moscú, Segismundo lo aceptó gustosamente a su servicio y lo puso a trabajar luchando contra los mismos hombres que una vez había comandado.

Para Iván, la deserción de Kurbsky fue un completo y total engaño. Kurbsky había sido el único boyardo en el que Iván sentía que podía confiar; por eso había hecho a su viejo amigo el comandante de sus fuerzas en Livonia en una época en la que era incapaz de pensar con claridad. Ahora, el último pilar en el que Iván se había apoyado fue arrancado cruelmente de debajo de él. Respondió de la única manera que conocía: con rabia y terror. Tomando las tierras de Kurbsky, procedió a perseguir a su familia, escribiendo furiosas cartas a Kurbsky para condenarlo por lo que había hecho. Kurbsky, sin embargo, fue firme en su decisión. Ahora iba a servir a Segismundo. Iván podía hacer todas las rabietas que quisiera; no iban a hacerle cambiar de opinión.

A los ojos de Iván, las acciones de Kurbsky fueron la forma más alta de traición de una de las únicas personas que quedaban en el mundo en las que él sentía que podía confiar. Ahora, se dio cuenta de que no podía confiar en nadie. Su esposa y su madre habían sido envenenadas delante de sus ojos, asesinadas por los boyardos, y ahora su mejor amigo se había unido a su enemigo para tratar de destruirlo. Iván estaba solo, y estaba muerto de miedo. Sabía que no era intocable, y aunque a la gente le gustaba y le era leal, a los boyardos les disgustaba y desconfiaban de él.

Iván se sentía como un niño pequeño otra vez. Llevaba el título de zar, pero en cualquier momento, sus propios boyardos podían volverse contra él. ¿Lo matarían como mataron a Anastasia y Elena? No quería darles la oportunidad. Y así, en secreto, Iván se escabulló de Moscú.

Solo podía pensar en un lugar donde se sintiera seguro: Aleksandrovskaya Sloboda. La cabaña de caza estaba escondida en los profundos bosques a unos días de viaje al norte de Moscú. Estaba aislada, pero era fuerte y defendible, y probablemente había sido el lugar favorito de su padre Vasili antes de su muerte. Vasili se había quedado allí durante sus felices viajes de caza, pero Iván huyó de allí con miedo, mirando por encima del hombro mientras cabalgaba, acompañado solo por un pequeño séquito en el que confiaba un poco. Era invierno, y la nieve que caía enmascaraba las huellas de los cascos de los caballos, cubriendo el paisaje helado a su alrededor con un manto blanco.

Cuando se notó la ausencia del zar en el Kremlin, poco se pensó al principio. No era raro que el zar saliera de caza; además, seguía siendo un hombre piadoso y eclesiástico, y no habría sido raro que también saliera en peregrinación. Pero con el paso de los días, la gente empezó a preocuparse. ¿A dónde había ido Iván? ¿Y por qué había mantenido sus movimientos tan secretos?

El 3 de enero de 1565, las respuestas a sus preguntas llegaron en forma de dos cartas de Iván. La primera estaba dirigida a los boyardos, y no se andaba con rodeos. En ella, Iván confesó que temía por su vida y que no podía tolerar más la traición en la que se había visto envuelto desde que era un niño pequeño. También anunció su intención de abdicar del trono. El poder que le había dado el ser zar de todas las Rusias ya no era más importante para él que permanecer vivo. Quería dejarlo todo atrás, toda la intriga y el peligro y todo lo que le había quebrantado, todo lo que le había destruido hasta el punto en que ahora estaba, y quedarse en su cabaña de caza en el bosque con solo un puñado de sirvientes de confianza.

En la segunda carta, Iván se dirigió directamente a su gente. Les aseguró que había sido honrado por ser su zar y que los boyardos eran la única razón por la que sentía que no tenía otra opción que abdicar. No se sabe si esto fue una disculpa genuina o una astuta estratagema de Iván, pero, de cualquier manera, fue ciertamente ventajoso para su posición. Enfurecidos con los boyardos por quitarles su fuente de confianza y estabilidad en el gobierno, la gente común se volvió contra ellos, amenazando con la violencia y la revuelta. Los propios boyardos se dieron cuenta de que la época en que Iván había sido un niño y la regencia se había dividido entre ellos tampoco había sido un buen momento para ellos. Muchos boyardos habían sido asesinados mientras luchaban entre sí, y ninguno de ellos había llegado realmente al poder de la regencia. Los boyardos se dieron cuenta de que si Iván abdicaba, no solo sería probable que los plebeyos se involucraran en un levantamiento violento, sino que no habría un gobierno unificado que se ocupara de ellos. Moscú y toda Rusia se verían envueltos en un caos total.

Esperando una respuesta a las cartas, Iván vagaba por su logia, disfrutando de todos los lujos a los que estaba acostumbrado en el Kremlin. Pasó mucho tiempo en su enorme biblioteca donde había acumulado una vasta colección de libros, algunos de ellos increíblemente antiguos y raros incluso entonces. Iván estaba al borde de perderlo todo, pero quizás aquí, en esta época en la que su título de zar colgaba de un hilo, podemos encontrar un raro momento en el que el corazón de Iván estaba en paz. Estaba solo, pero al menos estaba a salvo. Uno se pregunta si la historia del zar habría tenido un final más feliz si se hubiera quedado en Aleksandrovskaya Sloboda con sus libros el resto de su vida, tal y como pretendía.

Sin embargo, no iba a ser así. Los boyardos se sorprendieron por la abdicación de Iván, y se dieron cuenta de que Rusia lo necesitaba, por muy temperamental que fuera. Le rogaron que volviera, e Iván se mostró reacio al principio. Por mucho que hubiera disfrutado de ser zar, no podía soportar la idea de volver a ser traicionado. Los boyardos seguían rogándole que volviera, y finalmente, Iván se rindió, pero con una condición terrible: Quería tener rienda suelta para perseguir a los traidores como quisiera, evitando todos los canales legales. Tal era su desesperación que los boyardos aceptaron.

Iván regresó, y el orden fue restaurado en Moscú. El primer zar de todas las Rusias continuaría aferrado a su corona. Pero los boyardos aprenderían a arrepentirse de su decisión. Estaban a punto de entrar en una era de terror y oscuridad como nunca antes habían visto.

Capítulo 11 – Venganza

Ilustración VII: Ivan IV y Maluta Skuratov de G. Sedov.
Skuratov está registrado como un oficial superior del Opríchniki

A su regreso a Moscú, Iván se enfrentó a los mayores desafíos que había encarado como zar. La deserción de Kurbsky había dado un giro masivo para peor en la guerra de Livonia con las fuerzas rusas luchando sin su líder más fuerte; la guerra llevaba años en marcha y estaba empezando a pasar factura al dinero y la mano de obra de Rusia. Sabiendo esto, los tártaros comenzaron pequeñas invasiones en las fronteras rusas, tratando de aprovechar esta nueva debilidad para derribar el monstruo que tan fácilmente había capturado a Kazán y Astracán en la década de 1550. También se vinculó a la guerra de Livonia el bloqueo del comercio marítimo por parte de los polacos y los suecos en un intento de paralizar la economía rusa negando a la nación el acceso a las rutas comerciales marítimas. La hambruna y la sequía comenzaron a asolar el país y, por primera vez desde su ascensión al trono, la gente común de Iván experimentaba hambre en todo el país.

Si hubiera estado todavía en el pacífico e inteligente estado de ánimo con el que había gobernado Rusia durante su primer gobierno, Iván podría haber abordado estas cuestiones. Podría haber sido capaz de superarlas y devolver a Rusia la gloria de la década anterior. Pero Iván estaba obsesionado con una sola cosa, y era la traición que los boyardos habían cometido contra él. Habían hecho de su infancia un infierno y le habían quitado las dos mujeres que realmente había amado, y ahora le habían dado en bandeja de plata todo el poder que necesitaba para hacer pagar esas crueldades. Ahora tenía el poder que tenían sobre él cuando era un niño indefenso que era abusado y aterrorizado en su propia casa.

Iván comenzó dividiendo Rusia en dos estados diferentes: Zemshchina y Opríchnina. El Zemshchina era la mayoría de Rusia, gobernada por los boyardos bajo Iván como siempre había sido, pero el Opríchnina era un territorio separado, principalmente en la parte norte de Rusia, y dentro de ese territorio, los boyardos no tenían poder. Iván tenía control absoluto sobre todo lo que sucedía en Opríchnina, y casi se retiró completamente de gobernar, o incluso de poner un pie en Zemshchina. Se negó a comunicarse con los boyardos de Zemshchina, abandonándolos para gobernar la tierra que tanto deseaban y en su lugar se centró en la construcción de un nuevo tribunal.

El Opríchnina fue un movimiento inusual y la creación de una mente enloquecida por el terror. Es universalmente visto como una evidencia de que la estabilidad mental de Iván era cuestionable en el mejor de los casos. Si bien es posible que intentara equilibrar el poder y llevar la estabilidad a Rusia formando la Opríchnina, es más probable que Iván simplemente intentara estar perfectamente seguro de su seguridad personal dividiendo efectivamente su país por la mitad: una parte para los boyardos y sus formas traicioneras y la otra solo para Iván y la gente en la que confiaba, un lugar donde nadie pudiera envenenarle o hacerle daño de nuevo.

Para hacer cumplir las fronteras de la Opríchnina y protegerse a sí mismo, Iván formó una nueva legión de guardias y soldados, algo parecido a la policía secreta de otros regímenes dictatoriales de los siglos posteriores. Solo que esta policía era todo menos secreta. Conocidos como los Opríchniki, eran un espectáculo aterrador, siempre vestidos de negro y montando brillantes caballos negros. Atada a la coraza de su caballo, cada Opríchnik llevaba la cabeza de un perro muerto, simbolizando su diligencia en oler la traición; también llevaba una escoba, mostrando que barrería cualquier oposición sin esfuerzo. Eran guerreros formidables, seleccionados de entre las filas de los mejores de Rusia por su excelencia y crueldad en la lucha (siempre que no descendieran de ninguna de las familias nobles), y eran ferozmente leales a Iván; después de todo, sabían que la pena por incluso la sospecha de traición era la tortura y la muerte. Lo sabían porque ellos eran los que llevaban a cabo estas penas. Totalmente leales a las órdenes de Iván, recorrieron todo el país, cumpliendo sus órdenes de saquear, matar, mutilar y torturar a quien quisiera.

Los mismos Opríchniki tenían la reputación de ser totalmente desalmados. No solo obedecían las órdenes de Iván de llevar a cabo innombrables crueldades, sino que también tenían una tendencia sanguinaria. Dando rienda suelta a sus deseos, violaban y robaban dondequiera que iban, a menudo matando a gente inocente por el simple hecho de hacerlo. Como sombras en el paisaje, cabalgaban en sus oscuros regimientos con un rápido salvajismo, repartiendo dolor y agonía dondequiera que iban. Y con Iván a sus espaldas, eran intocables y no tenían que rendir cuentas a nadie. Mientras permanecieran leales a su zar, podían hacer lo que quisieran. En palabras de Kurbsky, eran «hijos de la oscuridad».

Es probable que durante este período Iván comenzara a ser conocido como Iván el Terrible, incluso entre su propia gente. Por mucho que Iván se centrara principalmente en perseguir a los boyardos, no había considerado los efectos que esto tendría en la gente común; ordenando la muerte de cientos de ellos, a menudo con una crueldad calculada en la tortura simbólica y los rituales de ejecución. Cuando los boyardos sufrían, hacían sufrir también a sus plebeyos; además, los Opríchniki no hacían la misma distinción que Iván entre los boyardos y todos los demás, y aplicaban la misma crueldad a todos los que se encontraban. Como resultado, miles de campesinos huyeron de Opríchnina y se refugiaron en Zemshchina o incluso más allá de las fronteras de Rusia.

Muchos más habrían huido si hubieran sabido lo que se avecinaba. Después de cinco años de sembrar el terror entre los boyardos y el resto de su gente, Iván solo estaba empezando. Su mayor atrocidad estaba por venir.

* * * *

El caballo de Iván resopló con inquietud, sus enormes músculos se movieron bajo su jinete mientras olía la ciudad que estaba delante. La nieve crujía bajo sus cascos, el vapor brotaba de sus fosas nasales y se enroscaba en sus flancos sudorosos. Iván lo impulsó con impaciencia, manteniéndolo en movimiento a través de la nieve profunda. Sus ojos ardían con una paranoia febril, con la rabia salvaje y el odio que había estado creciendo dentro de él como una raíz nudosa. Durante años, Iván había estado sufriendo e infligiendo ese sufrimiento a su país. Y hoy se quebraría. Podía sentirlo. Hoy finalmente soltaría todo ese dolor y agonía salvaje, y destruiría, y tal vez lo haría sentir algo mejor. Su caballo se abrió paso por la colina, e Iván vio la ciudad que estaba delante; su extensa masa estaba rodeada por sus soldados. Ahora era el hogar de decenas de miles de personas, muy lejos del pequeño asentamiento que había sido una vez cuando Rurik se dirigió por primera vez a Rusia y dio lugar a una nueva dinastía. Para Rurik, había sido el paraíso. Para Iván, era un objetivo: Nóvgorod.

Los cinco años desde la creación de la Opríchnina y sus Opríchniki no habían sido fáciles, ni para Rusia ni para su zar. Mientras Iván cabalgaba hacia la ciudad condenada, esta aún se tambaleaba por el golpe de un devastador brote de peste que había matado a 10.000 de su población. La misma plaga estaba causando la destrucción de Moscú, cobrando mil vidas al día y acabando con un tercio de la población. Los cuerpos se amontonaban en las calles, y no había nada que pudiera hacerse para detenerla.

Durante dos años, Rusia también se había enfrentado al conflicto con el Imperio otomano, un poder masivo que Rusia no podía esperar vencer con la cordura de su gobernante en un terreno inestable y su reputación como comandante militar que se iba lentamente por el desagüe a raíz de sus fallidas luchas contra Livonia. Los turcos otomanos estaban decididos a cavar un canal entre los ríos Volga y Don, y ya habían sitiado algunos castillos rusos para facilitar sus planes. Se habían necesitado hábiles negociaciones de los diplomáticos de Iván para lograr una conclusión pacífica sin grandes batallas, pero Rusia ciertamente había sentido la presión de la amenaza turca.

En el frente interno, la vida tampoco había sido fácil para Iván. El matrimonio con María se había vuelto insoportable. Iván Ivánovich y Feodor no se llevaban bien con ella, el público la llamaba bruja, y el encanto de su belleza se había desgastado hace tiempo ante su terrible conducta. Iván estaba harto de ella, y en su frágil estado mental, no le costó mucho llegar a un punto de inflexión que le hiciera capaz de lo impensable. Hasta el día de hoy, no estamos seguros de cómo se produjo la muerte de María en 1569. Pero se alega, y no es imposible, que el propio Iván cometió el mismo acto de traición que lo había vuelto tan irremediablemente loco en primer lugar. Envenenó a su propia esposa. Y aunque era más que probable que fuera el culpable, usó su muerte como excusa para promulgar otra ronda de terrible retribución a los boyardos, acusándolos de la misma traición que habían cometido contra Anastasia. Esta vez, con sus Opríchniki dispuestos a llevar a cabo cualquier orden que quisiera, Iván no tenía límites en su crueldad. Vio con satisfacción como cientos de personas fueron torturadas y asesinadas en una variedad de formas crueles y horrorosas justo frente a sus ojos.

Todo esto le había pasado factura. Con cada muerte, con cada grito de agonía que llegaba a sus oídos, y con cada acto de brutalidad innombrable que Iván ordenaba y luego observaba con placer, su sed de sangre solo crecía. Las circunstancias que le habían retorcido psicológicamente de niño solo habían empeorado, e Iván ya no se contentaba con mutilar pequeños animales o tirar mascotas desde el tejado del castillo. No, ahora necesitaba ver miles de muertos; necesitaba oír a la gente gritar. Era lo único que parecía tranquilizarlo. El pobre niño que había sido tan perturbado por su infancia se había convertido en un monstruo.

Y ahora, Nóvgorod estaba a punto de experimentar toda la extensión de la brutalidad y la crueldad de Iván. Mientras cabalgaba hacia la ciudad, Iván sabía que su clero ya había experimentado robos, ejecuciones y torturas durante semanas. Los pueblos de los alrededores habían sido saqueados y arrasados, y ahora, la población de Novgorod, ya diezmada por la plaga y rodeada por los aterradores Opríchniki, no podía hacer nada excepto esperar su horrible destino.

Iván se detuvo en su caballo por un segundo, mirando la ciudad. Una fría ira ardía en su corazón hacia cada ser vivo que yacía allí. Había acusado a sus ciudadanos de traición, temiendo su deserción a la Lituania polaca, su enemiga en la guerra de Livonia; estaba convenientemente situada cerca de la frontera rusa, y pocas cosas podían impedir que siguiera los pasos de Kurbsky y buscara pastos más verdes con un monarca con la cabeza bien enderezada. Pero Nóvgorod nunca tendría esa oportunidad. Iván la destruiría primero.

Fríamente, Iván dio la orden de atacar. Espoleó a su caballo, cargando su propia arma, y galopó directamente hacia la ciudad. Es difícil concebir lo que pasaba por su mente en ese momento. ¿Estaba su mente vacía y fría como un psicópata, sus acciones brillando con ese cálculo helado nacido de una total falta de cualquier forma de empatía? ¿O era tumultuosa, caótica, enloquecida por alguien que había sentido demasiado, que había soportado demasiado dolor y se había convertido en una manifestación física del mismo, infligiéndolo a cientos y miles de otras personas en un intento desesperado de escapar de su peso opresivo? De cualquier manera, los siguientes días de la vida de Iván fueron los más sangrientos de todo su reinado. Buscó sembrar destrucción y agonía dondequiera que cabalgara, guiando personalmente a sus Opríchniki por las calles de Nóvgorod. Era un movimiento similar a los disturbios que solía hacer de niño, llevando a su ruidosa banda de amigos a pisotear a los peatones. Excepto que ahora no era solo un niño con un montón de amigos traviesos. Era un zar al timón de una legión de viciosos guerreros dispuestos a cumplir sus órdenes, y estaba dispuesto a matar.

Enumerar todas las atrocidades cometidas por Iván en los días siguientes llenaría capítulos y capítulos. Hacer justicia a sus víctimas sería imposible, la mayoría de ellas permanecen sin nombre y sin rostro en la historia, ya que eran simplemente personas comunes y corrientes que llevaban vidas inocentes y corrientes. Las mujeres y los niños fueron violados. Las casas fueron incendiadas, y en el humo de su quema, sus habitantes fueron desollados vivos o colgados o cortados en pedazos por los sanguinarios Opríchniki y su despiadado líder. Los animales eran masacrados en las calles junto a sus dueños. Las ventanas se rompían o se derribaban, la gente se arrojaba al río y se ahogaba, y los hombres y mujeres eran volados con pólvora, pedazos de sus cadáveres quedaban esparcidos por las calles, quemados, desintegrados y pisoteados por los cascos de los caballos de los Opríchniki mientras perseguían a otras víctimas. Capturaron al arzobispo, y a la orden de Iván, lo cosieron a la piel de un oso recién cazado. Su sangre y carne, podrida y sucia, se pegaron a él y se le untaron por todas partes cuando los Opríchniki lo soltaron y le dijeron que corriera, riendo y burlándose. El arzobispo corrió, e Iván soltó sus perros de caza. Lo persiguieron, y sus gritos resonaron por las montañas mientras la manada lo despedazaba.

Fue un período de horror absoluto y un infierno en la tierra para los habitantes de Nóvgorod. Iván desató toda la fuerza de su crueldad, y las consecuencias fueron devastadoras. En un período de unas cinco semanas, entre 15.000 y 60.000 personas fueron brutalmente asesinadas sin razón alguna. Nóvgorod, una vez el orgullo de Rusia, la joya de su corona tardaría siglos en recuperarse. Hoy, ha resurgido de las cenizas de la masacre, ha sobrevivido a las guerras mundiales y permanece como Patrimonio de la Humanidad bajo el nuevo nombre de Veliki Nóvgorod (Nóvgorod la Grande).

Pero en 1570, no quedaba casi nada. Una vez que Iván terminó con ella, la ciudad había sido prácticamente destruida, la mayoría de sus habitantes asesinados. Todo el poder y la crueldad ilimitada de los Opríchniki y su líder se había puesto en exhibición para que toda Rusia lo viera, y las humeantes ruinas de Nóvgorod eran la prueba.

Solo podemos especular sobre cuánta destrucción más podría haber tenido lugar si se hubiera permitido que el Opríchniki continuara. Sin embargo, solo permanecerían dos años más antes de encontrarse con un enemigo al que no podrían vencer, y de caer en desgracia con Iván como resultado de su fracaso.

Capítulo 12 - El fracaso de los Opríchniki

Los tártaros de Crimea venían, e Iván sabía que no había nada que pudiera hacer.

Dirigiéndose a su Opríchniki, Iván vio con horror como la enorme fuerza de los tártaros se dirigía directamente hacia él. Estaban a solo unas pocas millas de Moscú, a un día de marcha de la capital, e Iván nunca debió haberse enfrentado a su enemigo. Había llevado a un puñado de Opríchniki más como una muestra de solidaridad que con el objetivo de enfrentar la batalla; la fuerza de Zemshchina enviada delante de él se suponía que haría toda la lucha real. Iván prefería matar a las cosas que no se defendían. Pero ahora, se enfrentaba a un ejército tártaro de 40.000 hombres, liderado por el formidable tártaro Khan Devlet I Giray. La fuerza de Zemshchina que había sido enviada para proteger el río Oka contra la horda que se acercaba había fracasado. Los traidores rusos, desesperados por ver a alguien que no fuera Iván gobernando su país, habían pasado de contrabando toda la fuerza de Crimea a través del río sin ninguna oposición, y ahora estaban inundando el paisaje, dirigiéndose directamente a Iván y su pequeño ejército.

El campo de primavera estaba muy oscuro, lleno de un gran número de tártaros. Sus veloces y peludos ponis podían galopar durante millas, llevando arqueros cuya precisión y velocidad eran una combinación mortal; podían recargar mucho más rápido que los cañones y acercarse y retirarse con notable velocidad y agilidad, lo que los hacía letales incluso frente a armas más modernas. Mirando hacia atrás a los jinetes vestidos de negro en sus brillantes caballos negros, Iván vio el miedo en sus ojos. De repente, la fuerza que tan fácilmente había arrasado Nóvgorod casi hasta el suelo ya no parecía tan poderosa. Los Opríchniki nunca habían probado la guerra real. Dentro de los seguros confines de la Opríchnina, no se habían encontrado con ninguna oposición, en cambio habían estado persiguiendo campesinos desarmados y asustando a los plebeyos. No estaban entrenados para la guerra ni condimentados por ella, e Iván sabía, con repentina claridad, que liderarlos contra los tártaros sería nada menos que un suicidio.

Mientras que Kurbsky se apresuraba a atribuir la próxima acción de Iván a nada más que cobardía, el zar se quedó sin opciones. Sabía que los tártaros cortarían su pequeña fuerza como si nunca hubiera existido. Llevando su caballo, le gritó a su ejército que se retirara. No era necesario decírselo dos veces. Poniendo los talones a sus caballos, los Opríchniki huyeron tan rápido como sus caballos pudieron llevarlos. Cabalgaron con fuerza hacia el norte, teniendo que tomar un desvío alrededor de Moscú, ya que sabían que ese era el verdadero objetivo de la invasión tártara. Iván sabía que la mayor parte de su ejército estaba luchando en Livonia; la mayoría de los strelski -el ejército permanente- que permanecían en Rusia estaban ahora esperando en las orillas del Oka, ya que su enemigo se había ido hace mucho tiempo. La guarnición que quedó en Moscú era lo mínimo de una tripulación mínima, diezmada por la plaga y las exigencias de la guerra de Livonia. Con solo 6.000 hombres, no tenía ninguna posibilidad contra los tártaros. Moscú iba a caer, e Iván lo sabía, pero hizo poco para tratar de detener el inevitable desastre. Simplemente espoleó a su caballo y cabalgó tan duro como pudo hacia Aleksandrovskaya Sloboda.

El zar se refugió allí en su cabaña de caza convertida en fortaleza mientras los tártaros continuaban, inexorable e implacablemente, hacia Moscú. El desafortunado comandante de la guarnición de Moscú no tuvo otra opción que liderar su ejército, sabiendo que estaba condenado antes de que empezara la lucha. Los tártaros apenas disminuyeron la velocidad. Aplastando al ejército moscovita sin esfuerzo, siguieron adelante, llegando a los suburbios de la ciudad casi sin oposición. Los cientos de miles de civiles dentro de Moscú estaban indefensos. Solo podían ver cómo Devlet I Giray empapaba de aceite las casas más cercanas y luego tocaba con una antorcha ardiente las superficies resbaladizas. Llama tras llama se precipitaron en el aire mientras los tártaros galopaban por las calles a gritos y pánico, encendiendo las casas. Dormitorios y cocinas, patios traseros y establos se incendiaron; los barriles de agua en los tejados que Iván había puesto en marcha décadas atrás no hicieron mucho para frenar el ardiente caos. Cuando un viento repentino salió de la nada, se apoderó del fuego y lo arrojó hacia el Kremlin. El fuego se convirtió en un frenesí, rugiendo, devorando bloques enteros a la vez, precipitado por los dientes del viento. Ciudadanos aterrorizados se arrojaron al río o se escondieron en edificios de piedra, que se derrumbaron bajo el calor del fuego y la fuerza del viento que había creado. Murieron por miles, y también los que se ahogaron en el río o no tuvieron la suerte de escapar de las llamas.

En seis horas, la mayor parte de Moscú fue destruida. El palacio se había quemado hasta los cimientos, y los acres de los suburbios se redujeron a nada más que cenizas. Miles de personas -suponemos que alrededor de 60.000- habían muerto. La tragedia del Gran Incendio de 1547 se había repetido, excepto que esta vez, fue magnificada y empeorada por el hecho de que no fue un triste accidente. Esto podría haberse evitado, pero la traición y el fracaso de los Opríchniki había dejado a los tártaros sin oposición, y Moscú tuvo que pagar el precio. La traición que Iván siempre había temido había tenido lugar, pero su gente había pagado por ella mientras estaba a salvo en su fortaleza de Sloboda. En cuanto a los tártaros, desaparecieron, llevados por sus pequeños ponis de patas rápidas de vuelta a la tierra de la que vinieron. Sus pérdidas no pudieron ser significativas.

El incendio de Moscú de 1571 empequeñeció al Gran Incendio de 1547, y al igual que ese desastre temprano, finalmente impulsó a Iván a la acción. Al darse cuenta de que el Opríchniki había fallado en protegerlo a él o a Rusia de las invasiones externas, o de la traición que había hecho que la incursión en Crimea fuera tan exitosa, Iván decidió que eran más problemas de lo que valían. Durante el año siguiente, continuaría reflexionando sobre esta decisión, pero en 1572, el Opríchniki fue disuelto y el Opríchnina fue abolido. En un giro irónico que los oficiales superiores de Opríchnik nunca pudieron ver venir, Iván los ejecutó por no protegerlo a él y a su capital.

En cuanto a los tártaros de Crimea, volvieron al verano siguiente, con el objetivo de repetir su incursión de 1571 y quizás incluso invadir y reclamar Moscú en lugar de simplemente quemarlo. Sin embargo, se encontraron con un fuerte ejército ruso liderado por el príncipe Mijaíl Vorotynsky. A pesar de que el príncipe solo mandaba la mitad de hombres que el líder de Crimea, cuando se reunieron a orillas del Lopasnya, se produjo una batalla de una semana de duración que causaría un gran daño a ambos bandos. El propio Iván estaba encerrado en Nóvgorod en ese momento y dio órdenes a Vorotynsky, pero no participó activamente en la batalla. Terminó en una victoria decisiva para los rusos, y los tártaros fueron derrotados hasta tal punto que ni ellos ni sus aliados turcos intentaron más incursiones en Rusia durante el reinado de Iván.

Vorotynsky fue acogido de nuevo como un héroe de guerra, tal vez con demasiado entusiasmo por un pueblo desesperado por un verdadero héroe. Fue muy celebrado durante aproximadamente un año antes de que Iván se pusiera celoso de su popularidad, lo acusara de infringir el trono y lo torturara personalmente hasta la muerte.

* * * *

A sus cuarenta años, Iván había enviudado por segunda vez en 1569 tras la muerte de María. Esta vez, le tomaría dos años reemplazarla. Quizás era reacio a volver al matrimonio después de su infeliz unión con María, o quizás simplemente estaba demasiado ocupado causando el caos en su propio país. De cualquier manera, en 1571, finalmente se estableció con su tercera esposa. Esta vez, se sintió atraído de nuevo por la juventud y la belleza y una vez más evitó casarse con cualquiera de las familias de boyardos que tanto detestaba.

Marfa Vasilevna Sobakina era la hija de diecinueve años de un comerciante. Después de un extenso concurso de novias, Iván había elegido doce finalistas; decidió finalmente que Marfa era la más hermosa de todas. Debía ser consciente de que sería su última esposa, ya que la Iglesia ortodoxa estipulaba que solo se permitirían tres matrimonios, sin importar lo que pasara con los anteriores. El día de su boda con Marfa se suponía que sería la última.

Lamentablemente, sin embargo, su unión estaba condenada incluso antes de comenzar. La madre de Marfa nunca había soñado que su joven hija se convertiría algún día en la Zarza de Rusia; tradicionalmente, solo las princesas y las de sangre más noble eran elegidas para casarse con los grandes príncipes. Solo por el aborrecimiento de Iván hacia las familias boyardas se había elegido a una chica común como Marfa, y su familia se vio de repente elevada a un estatus casi real. La imaginación de la madre de Marfa se disparó. Imaginó a uno de sus nietos en el trono de Rusia un día, y mientras Marfa se preparaba para la ceremonia de boda, su madre comenzó a darle dosis de un elixir que, según le habían dicho, haría a su hija más fértil.

Trágicamente, el elixir estaba lejos de ser una poción de fertilidad. En cambio, era algo mortal, un veneno cuya identidad se ha perdido desde entonces. Cuanto más poción bebía Marfa, más se desvanecía su peso, su carne se encogía en sus huesos hasta que apenas podía estar en pie el día de su boda, un esqueleto de ojos huecos de la brillante chica que Iván había elegido. Sin embargo, la ceremonia siguió adelante, aunque Marfa se balanceaba donde estaba en el altar. Iván la llevó a casa a la inexpugnable fortaleza de Aleksandrovskaya Sloboda, seguro de que estaría a salvo con él dentro de esos formidables muros y rodeada solo por asistentes escogidos a dedo de cuya lealtad Iván estaba absolutamente seguro. Sin embargo, no fue suficiente. El daño ya estaba hecho, y Marfa no estaba a salvo de cualquier sustancia letal que la consumiera de adentro hacia afuera. A los pocos días de su boda, ella murió.

Iván se volvió loco. Inmediatamente acusó a los boyardos de envenenar a Marfa, aunque habrían sido unos completos tontos si hubieran intentado algo así. Una vez más, los boyardos se enfrentaron a una ola de ejecuciones y torturas cuando Iván envió a sus Opríchniki en su último alboroto antes de que se disolvieran. Incluso la familia de Anastasia, su amada primera esposa, no estaba a salvo. Su hermano fue empalado y asesinado por el crimen de envenenar a Marfa, aunque es extremadamente improbable que realmente haya cometido el crimen.

Para entonces, tal crueldad era algo natural para Iván, automática y sin esfuerzo, especialmente con los Opríchniki a su disposición; sin embargo, incluso después de que se disolvieran en 1572 -alrededor de un año después de la muerte de Marfa- Iván continuó actuando con sospecha y odio hacia los más cercanos a él. Su pueblo sintió una oleada de esperanza cuando abolió la Opríchnina (incluso prohibió el uso de la propia palabra Opríchnina), pensando que tal vez su gobernante había vuelto a alguna forma de lucidez. Sin embargo, Iván pronto demostraría que el fin de la Opríchnina no era el fin de su locura. Era solo otro paso adelante en su lento e imparable deslizamiento hacia la locura total.

* * * *

Poco después del final de la Opríchnina y habiendo recién casado con su cuarta esposa, Anna Alexeievna Koltovskaya, Iván parecía estar perdido. Sin su Opríchniki para sembrar el caos a su antojo y sin los fieles seguidores que habían formado la Opríchnina a su alrededor, Iván no sabía qué hacer consigo mismo. Había sido capaz de ocuparse por un tiempo persiguiendo a gente al azar que creía que eran culpables de la muerte de Marfa, pero ahora, se sentía sin dirección. De hecho, estaba cansado de la zarza, cansado de la constante preocupación por su vida y la de sus allegados, y cansado, se puede especular, de la vida. A pesar de todas las atrocidades que Iván había cometido, ninguna había logrado hacerlo feliz. Había hecho lo que quería, y nada le había hecho sentir mejor. Seguía siendo un individuo profundamente perturbado y deprimido, e incluso a la relativamente joven edad de cuarenta y dos años, tenía canas y arrugas profundas que le hacían parecer que tenía el doble de su edad.

Iván estaba harto de gobernar Rusia, a pesar de lo mal que lo había hecho durante los últimos años. Así que hizo lo que había intentado hacer hace casi una década: Abdicar. Solo que esta vez, en lugar de dejar el trono a los boyardos, decidió colocar a un nuevo zar de su propia elección en el trono que no quería. A pesar de que su hijo y heredero, Iván Ivánovich, ya tenía dieciocho años -un poco más que el propio Iván cuando fue coronado zar de todas las Rusias-, Iván eligió no colocarlo en el trono. En su lugar, eligió a un ex general tártaro bastante desconocido llamado Simeón Bekboelatovitch.

Poco se sabe del «reinado» de Bekboelatovitch aparte del hecho de que parece que no fue oficial. No era más que una marioneta en las manos de Iván, un individuo desesperado, y probablemente aterrorizado, que no hizo otra cosa que mantener caliente el asiento del trono para el inevitable regreso de Iván. Durante un año, Iván vivió en una de sus fincas en el lujo y la relajación, aunque lo que exactamente pasaba por su mente en ese momento es imposible de adivinar. A menudo, cabalgaba a Moscú para rendir homenaje a su nuevo «zar», inclinándose ante Bekboelatovitch y mostrándole sumisión y lealtad. Rusia se tambaleaba al borde del desastre, su gobierno nunca había sido más incierto que en ese momento. Por muy aterrador que haya sido Iván en los últimos años, fue un alivio para la mayoría de los rusos cuando de repente se cansó de esta farsa y reclamó el trono. Sorprendentemente, Bekboelatovitch no fue dañado. Se le dieron tierras y un título de nobleza, y se le permitió seguir con su vida mientras Iván retomaba el trono.

El zar había llegado a la última década de su reinado. Había causado y soportado una cantidad casi incomprensible de sufrimiento, pero lo peor de todo estaba aún por venir. La familia de Iván estaba en peligro, y esta vez, era del propio patriarca.

Capítulo 13 - Dos asesinatos

Ilustración VIII: Iván el Terrible y su hijo Iván el 16 de noviembre de 1581, una emotiva representación de la muerte del zarévich Iván Ivánovich por Ilya Repin

La década de 1570 fue una década tumultuosa para Iván. Comenzando con la masacre de Nóvgorod, continuando con el incendio de Moscú y luego el final de la Opríchnina, y seguido por la muerte de Marfa, las circunstancias de Iván eran tan inestables y salvajes como sus cambios de humor. Y a medida que la década avanzaba, las cosas solo empeoraban.

En 1572, poco después de la prematura muerte de Marfa, Iván se casó con su cuarta esposa, Anna Koltovskaya. Esta unión no fue aceptada por la Iglesia y solo apenas aceptada por la gente cuando Iván los apaciguó diciendo que no había tenido tiempo de consumar su matrimonio con Marfa debido a su enfermedad y rápida muerte. De cualquier manera, parece que a Iván ya no le importaba lo que la Iglesia o cualquier otra persona pensara de él mientras nadie envenenara a sus esposas. La propia Anna, como es habitual en las esposas de Iván, no era de alta alcurnia; debía ser una mujer joven o incluso una niña cuando Iván se casó con ella, ya que, aunque su fecha de nacimiento se ha perdido, sobreviviría a Iván, muriendo en 1626. Sin embargo, su matrimonio no sobreviviría tanto tiempo como Anna. Ella demostró ser infértil. Después de dos años de matrimonio, en 1574, Iván se cansó de ella. En lugar de envenenarla como probablemente hizo con su segunda esposa María, simplemente la envió a un convento para que se hiciera monja. Tomó el velo como la hermana Daria y puede que más tarde fuera canonizada como Santa Daria en la Iglesia ortodoxa Oriental.

Los detalles de lo que pasó después en la vida marital de Iván están incompletos. Se casó de nuevo en 1575, aunque esta boda fue ciertamente mal vista por la Iglesia; esta esposa, otra Anna, no duró mucho antes de encontrarse con el mismo fin que Anna Koltovskaya. Anna la segunda pudo haber sido asesinada en el convento. La mayoría de los detalles de su vida se han perdido en la niebla del tiempo.

La sexta esposa de Iván, Vasilisa Melentyeva, probablemente no existió. Un producto de la imaginación del siglo XIX, Vasilisa supuestamente llegó como viuda a Moscú buscando refugio y se convirtió en la esposa de Iván. Se enamoró de un príncipe, y cuando Iván se enteró, el príncipe fue empalado y Vasilisa enviada a un convento. No se puede encontrar ninguna evidencia histórica que apunte a la existencia de Vasilisa; su historia fue más que probablemente fabricada. Se supone que fue la esposa de Iván durante unos breves meses en 1579.

También es probable que María Dolgorukaya no sea más que una leyenda. Se dice que fue la séptima esposa de Iván y que fue acusada de infidelidad, pero su historia no termina tan pacíficamente como la de Vasilisa. En lugar de ser enviada al convento, la leyenda dice que María se ahogó. Su existencia no ha sido confirmada.

Finalmente, en 1581, Iván se casó por octava vez, y esta vez su esposa sí existió. María Nagaya se salvó del destino de sus predecesoras cuando produjo un hijo para Iván en 1582, un niño llamado Dimitri.

Dimitri era una pequeña pieza de buenas noticias. Pero los acontecimientos del año anterior de 1581 en la familia de Iván habían sido muy, muy malos.

* * * *

Desde que retomó el trono después del breve y peculiar reinado del general tártaro, Iván había estado en gran medida inactivo en los asuntos del estado. Hizo algunos intentos de reformar algo similar a la Opríchnina en un intento de protegerse a sí mismo, pero ninguno había sido tan notorio como la propia Opríchnina, y los Opríchniki nunca se reunirían de nuevo. Aparte de esto, Iván casi se retiró de los deberes que venían con el trono. Sin embargo, había un aspecto de su reinado que no podía ser ignorado: la guerra de Livonia.

Desde que Lituania se involucró en la guerra, las fuerzas rusas sufrieron continuas derrotas. Durante dos décadas, los ejércitos contrarios habían estado luchando en una larga serie de escaramuzas y batallas que habían costado miles de vidas. Los refugiados que huían de la guerra habían llegado a Rusia e incluso a la propia Moscú, trayendo consigo horribles brotes de la plaga. Rusia no podía soportar el gran número de bocas que ahora repentinamente tenía que alimentar, y el resultado fue la hambruna. Sin embargo, Iván se negó a participar en las conversaciones de paz con los habitantes de Livonia. En su lugar, permitió que la lucha se prolongara.

Esto fue un terrible error. Una vez que Livonia fue recuperada por completo, los enemigos de Iván pusieron sus miras en un objetivo mayor: La propia Rusia. Sabían que tratar de negociar la paz no significaba nada ahora, Iván continuaría tercamente tratando de librar esta guerra hasta que algo cediera. La invasión era la única opción. En 1581, el ejército lituano y sus aliados sitiaron Pskov, una ciudad rusa no muy lejos de la frontera de Livonia. A pesar del hecho de que estaba defendida por un gran número de soldados strelski experimentados, Pskov pronto se encontró luchando por sobrevivir al asedio. Sus comandantes enviaron mensajes desesperados a Moscú, pidiendo ayuda para liberar la ciudad.

Si dependiera del propio Iván, los gritos habrían caído en oídos sordos. En cambio, llegaron a su hijo, Iván Ivánovich. Ivánovich siempre había estado cerca de su padre, y había pasado mucho tiempo con él, incluyendo la participación en la masacre de Nóvgorod cuando era solo un adolescente, pero cuando se enteró del problema en el que estaba Pskov, decidió que tendría que estar en desacuerdo con la decisión de Iván de no hacer nada.

Cuando Ivánovich empezó a discutir con él sobre el destino de Pskov, se le rompió el corazón. Su hijo había sido su amigo más cercano y constante a lo largo de los años; la única persona que no había perdido. Anastasia había sido envenenada hace décadas, Kurbski lo había traicionado, y sus esposas habían sido una larga cadena de fracaso tras fracaso. Pero Ivánovich - solo él permaneció, y él solo fue precioso y atesorado en el corazón de Iván. Se había quedado con su padre a pesar de su locura, e Iván lo amaba más que a nada en el mundo.

Esto no quiere decir que Iván haya tratado bien al joven Ivánovich. Había casado al chico con una joven sueca llamada Virginia Eriksdotter cuando Ivánovich era solo un adolescente, pero cuando la pareja no tuvo hijos en un par de años, Iván condenó rápidamente a su nuera a ser encarcelada en un convento. La segunda esposa de Ivánovich, Praskovia Solova, fue igualmente incapaz de producir un hijo. La solución de Iván a su infertilidad fue tan simple como siempre lo había sido para sus propias esposas; ella se fue al convento, e Iván rápidamente le encontró a su hijo otra chica para casarse. A Ivánovich le rompió el corazón el hecho de que sus esposas le fueran arrebatadas tan brutalmente, pero sabía que no debía discutir con su padre. Aunque echaba de menos a sus dos esposas anteriores, aceptó dócilmente casarse con Yelena Sheremeteva. Unos meses mayor que Ivánovich, Yelena tuvo más suerte que sus otras esposas. Con gran alivio, la joven pareja descubrió en octubre de 1581 que Yelena estaba embarazada del primer hijo de Ivánovich.

Ahora, por fin, Ivánovich esperaba que él y su esposa se quedaran solos para disfrutar juntos de su matrimonio e hijos. Pero no iba a ser así. La locura de Iván estaba a punto de dar un giro terrible para peor, un giro que no solo cambiaría la vida de Ivánovich: la tomaría.

* * * *

Yelena estaba aterrorizada de su suegro.

Apenas se atrevía a moverse cuando se sentaba en la misma habitación que él. Aunque estaba demasiado asustada para mirarlo, se encontró echando miradas furtivas para asegurarse de que seguía sentado en su silla. Se estaba quedando calvo en la parte superior de su cabeza; lo que quedaba de su pelo colgaba alrededor de sus hombros, blanco por el estrés y desarrapado donde se lo había arrancado en uno de sus salvajes estados de ánimo. Su barba estaba igualmente arruinada, y su cara estaba profundamente marcada, una máscara de sufrimiento en medio de la finura de su ropa. Sus ojos eran los peores. Estaban hundidos profundamente en las oscuras cuencas de su cráneo, de modo que eran poco más que un brillo negro en algún lugar entre las sombras de su rostro, su expresión era ilegible. Toda su postura parecía emanar odio y desesperación. Era como sentarse con un agujero negro de energía emocional que absorbía la vibrante juventud de Yelena.

No se le había dado la opción de casarse con Ivánovich. El matrimonio arreglado era el único destino que esperaba a la mayoría de las jóvenes nobles de la época, y como hija de un boyardo, Yelena habría esperado que algo así le sucediera eventualmente. Sin embargo, temía la idea de formar parte de la casa del zar Iván. Había asesinado a miles de boyardos; es más que probable que los miembros de la propia familia de Yelena hubieran sucumbido a su ira. Y ahora ella estaba sentada en la misma habitación que él, tratando de no llamar su atención.

Pero ya era demasiado tarde. De repente, su humor se quebró como un látigo agrietado, Iván se precipitó hacia ella. Yelena se acobardó en su lugar, moviendo subconscientemente sus manos sobre su vientre embarazado, protegiendo instintivamente a su bebé no nacido mientras la boca de Iván se abría y lanzaba una furiosa diatriba que dejó a Yelena sintiéndose aturdida. Había puesto una repentina y terrible objeción a la ropa que llevaba Yelena; a pesar del clima invernal de noviembre en el exterior, hacía calor dentro del palacio, y Yelena se había vestido ligeramente de acuerdo con la temperatura. Sin embargo, algo en su ropa había desencadenado la paranoia de Iván. Él se abalanzó sobre ella, diciéndole que estaba vestida de manera promiscua, que planeaba engañar a su hijo mayor. Quizás algunos de los temores de Iván de que el propio Ivánovich fuera infértil, y no las esposas que había enviado a los conventos, salieron a la superficie ahora que acusaba a Yelena de cosas indecibles para sus jóvenes oídos. En pánico, Yelena protestó que no había hecho nada malo, pero Iván no podía ser pacificado. Fue hacia ella, agarrándola con una sorprendente fuerza considerando su aspecto enfermizo, y la tiró al suelo. Yelena cayó con un impacto que casi la aturde. Sin mostrar piedad, Iván comenzó a patearla, golpeando su cuerpo cruelmente. Todo lo que Yelena pudo hacer fue acurrucarse sobre su vientre en un desesperado intento de proteger a su bebé y gritar tan fuerte como pudiera.

Ivánovich escuchó los gritos. Corrió desde otra parte del palacio e irrumpió en la habitación para contemplar una visión totalmente horrorosa. Su hermosa y joven esposa estaba acurrucada en el suelo, con las manos levantadas para proteger su cara. Sobre ella, con el rostro retorcido en una ira sin sentido que era más baja y brutal que la del animal más salvaje, estaba Iván. La pateaba, la golpeaba, le pegaba con la culata de su cetro. Y mientras Ivánovich miraba horrorizado, vio que la sangre empapaba la falda de Yelena, corriendo por sus muslos y filtrándose en la alfombra.

Ivánovich se quebró. No le habían dado los mismos ataques de ira que a su padre, pero ahora estaba perdido y entró en la habitación gritando a todo pulmón. «¡Enviaste a mi primera esposa a un convento sin motivo alguno!». Agarrando a Iván, le tiró hacia atrás, arrancándolo de Yelena. Poniéndose entre su esposa y su padre, Ivánovich siguió adelante. «Hiciste lo mismo con mi segunda. ¡Y ahora golpeas a la tercera!». Le hizo un gesto furioso a Yelena, que empezó a sentarse. El sangrado era tan profuso entre sus piernas que su vestido ya estaba empapado de sangre. La voz de Ivánovich era un susurro agónico. «Causando la muerte del hijo que lleva en su vientre».

Yelena levantó un rostro manchado de sangre y lágrimas a su marido. Ambos sabían lo que acababa de suceder: Yelena había sufrido un aborto espontáneo de ella y del hijo de Ivánovich.

No se sabe exactamente cuándo ocurrieron los siguientes acontecimientos. Puede que hayan pasado días después de que Ivánovich ayudara a Yelena a entrar en su habitación y un médico tuviera la oportunidad de confirmar que ella había perdido a su bebé. Puede que fuera en ese mismo momento cuando Yelena estaba sangrando en la alfombra e Ivánovich se paró sobre ella con una rabia temblorosa. De cualquier manera, Iván e Ivánovich comenzaron a discutir. El tema de sus gritos pasó de Yelena y las otras esposas de

Ivánovich a Pskov y la opinión vociferante de Ivánovich de que Iván debería haberlo liberado hace tiempo. Furioso y acalorado por la emoción, Iván acusó a su hijo de tramar una rebelión. Ivánovich declaró apasionadamente su lealtad, pero se mantuvo firme: Pskov necesitaba ayuda, y dejársela a los livonios era cruel e inútil.

Finalmente, Iván perdió los estribos por completo. Gritando incoherentemente con furia, blandió su cetro de hierro, un instrumento mortal que había matado a muchos sujetos desafortunados. Esta vez, su objetivo era su hijo. La punta del cetro se clavó en la sien de Ivánovich. Hubo un terrible crujido, un sonido de huesos rotos y aplastados. Una mirada de sorpresa y agonía cruzó la cara del joven por un momento, y luego, sus rodillas se doblaron y se derrumbó en el suelo.

El horror de lo que acababa de hacer golpeó inmediatamente a Iván, sacándolo de su rabia psicótica. Con un aullido de remordimiento, se tiró al suelo, cogiendo frenéticamente a su hijo en sus brazos. Ivánovich estaba cojo, la sangre le caía a un lado de la cara por una herida en la sien. Su cabeza parecía abollada, aplastada donde el cetro la había golpeado. Con sus movimientos temblorosos, Iván intentó detener la hemorragia, presionando su mano huesuda contra la herida. Abrazó a Ivánovich contra él, rogándole que viviera. «¡Que me condenen!», gimió. «He matado a mi hijo. ¡He matado a mi hijo!».

Sus palabras no eran falsas. El cráneo de Ivánovich estaba destrozado. Permanecería unos días más en coma, yéndose tan quieto como la muerte en su habitación. Finalmente, el 19 de noviembre de 1581, el zarévich Iván Ivánovich de Rusia murió.

El dolor de Iván por la muerte de Ivánovich igualó sus sentimientos después de la muerte de Anastasia. Gritó y aulló, abrumado por el remordimiento por lo que había hecho en su ataque de rabia sin sentido. Cuando vio el ataúd de Ivánovich por primera vez, perdió la razón. Agarró su borde y se golpeó la cabeza contra él hasta que su piel se rompió y la sangre se derramó por su cara. Luego siguió gritando, tambaleándose por el palacio como un animal herido, incapaz de comprender o sentir otra cosa que no fuera su terrible dolor. Su propia crueldad e incapacidad para controlar sus emociones había vuelto para morderle de la forma más agónica posible.

Capítulo 14 - El legado de Iván «El Terrible»

Ilustración IX: Una escultura de Iván por Mark Antokolski

Desnudado y utilizado para la práctica de tiro al blanco por los Opríchniki. Cosido en una piel de oso y despedazado por perros hambrientos. Empapado en agua hirviendo y congelada alternativamente hasta que la piel se rompe. Colgado. Ahogándose. Hervido en un caldero. Costillas arrancadas por pinzas al rojo vivo. Decapitación. Pisoteado por ponis salvajes. Golpeado por un cetro. Estas son solo algunas de las horribles formas en que las víctimas de Iván fueron asesinadas, desde los desventurados campesinos de Nóvgorod hasta los odiados boyardos y su propio hijo. Pero el mismo Iván, irónicamente, se libraría de cualquier tipo de muerte espantosa. Su propia muerte sería curiosamente pacífica, aunque posiblemente autoinflingida de una manera extraña.

Iván tenía cincuenta y cuatro años, y desde la muerte de su hijo, había estado más o menos esperando morir. La guerra de Livonia se había perdido; María Nagaya había dado a luz al último hijo de Iván, Dimitri, en 1582; y ahora, en el año 1584, Iván se había convertido en una enfermiza y destartalada cáscara del tirano que una vez fue. Aún era capaz de ordenar una gran violencia, pero ya no podía dispensar nada de eso por sí mismo. La enfermedad se había filtrado en sus huesos; sus articulaciones le fallaban, aunque todavía no era un anciano, y tenía que ser llevado en una camilla a todos los lugares a los que quería ir. Incluso su piel se abría de par en par para revelar las llagas que rezumaban un mal olor a pus.

La propia Rusia estaba al borde del colapso económico. La guerra de Livonia había sido increíblemente costosa. Había secado la economía, un proceso acelerado por las sequías, hambrunas y plagas que la nación había soportado y empeorado por el hecho de que -con Iván enfermo y los boyardos diezmados por su persecución- no se podía considerar un gobierno en Rusia. El único parpadeo de buenas noticias durante ese tiempo fue el hecho de que un valiente soldado llamado Yermak Timofeevich, un ex bandido, había tomado su espada y buscado una nueva frontera en la frontera de Rusia y Siberia. Trabajando para la familia Stróganov, que había estado colonizando la zona estéril, Yermak había logrado expulsar a los mongoles que entonces habían ocupado Siberia. Conquistó la zona para Rusia y se convirtió en un héroe a los ojos del pueblo.

Iván honró a Yermak con un título y a los Stróganov con regalos de tierras, pero las buenas noticias no le distrajeron de la realidad que sabía que se acercaba cada vez más. Su muerte no estaba lejos, y él lo sabía. De alguna manera, se las arregló para reunir suficiente pensamiento racional para escribir su testamento, que era un documento sombrío en sí mismo. Con Iván muerto, el trono de Rusia caería en manos del discapacitado mental Feodor, pero no había otra opción; Dimitri solo tenía dos años, e Iván no podía soportar que el pequeño sufriera el mismo destino que tuvo el Gran Príncipe de Moscú sin padre, torturado en el Kremlin por los boyardos. En su lugar, dejó el principado de Uglich a Dimitri, el mismo territorio que había sido gobernado por el hermano sordomudo de Iván, Yuri, antes de su muerte hace varios años. No había dos maneras de hacerlo: Feodor tendría que convertirse en zar, tanto si era adecuado para el puesto como si no.

Ahí fue donde la racionalidad de Iván terminó. Los miedos que siempre lo habían perseguido se acercaban a él ahora, estrechándose a su alrededor como un círculo de perros hambrientos, listos para despedazarlo de la manera en que su propia jauría de sabuesos había desgarrado a Andrei Shuisky miembro por miembro y le había dado a Iván su primer gusto por el asesinato. Ahora ni siquiera el asesinato podía quitarle de la mente el hecho de que sabía que se estaba muriendo, y estaba asustado y solo. Por primera vez, Iván le dio la espalda a la iglesia. En búsqueda de ayuda de un distrito más oscuro, mandó traer a 60 magos lapones a trabajar su brujería en él en un intento de salvarlo.

Por supuesto, los magos no pudieron hacer nada para ayudar al zar a sentirse mejor. Sin embargo, según la leyenda, podían predecir su muerte: 18 de marzo de 1584. Le dieron esta información a Bogdan Belsky, entonces amigo y favorito de Iván. Belsky, sin embargo, esperaba heredar el trono, así que mantuvo la información en secreto. En su lugar, intentó apartar la mente del zar de su inminente muerte manteniéndolo ocupado con las actividades recreativas que podía realizar considerando su estado de enfermedad.

De niño, Iván había cazado campesinos en la calle y cabalgado salvajemente por el campo. Violar y saquear había sido su idea de diversión. Ahora, ya no podía caminar, y mucho menos montar. Le quedaba poco que hacer excepto jugar al ajedrez.

Era el 18 de marzo de 1584, la fecha que los magos lapones habían dicho que sería el último día de Iván en esta tierra. Belsky estaba intranquilo, pero hizo todo lo posible por ocultarlo. Tal vez los magos se habían equivocado después de todo. Mientras Belsky esperaba al zar en su alcoba, podía oír a Iván cantando en el baño; acababa de recibir su medicina, y parecía sentirse mejor ese día.

Cuando Iván fue ayudado a entrar en su habitación, Belsky notó que sus mejillas tenían algo de color. Parecía bastante alegre, vestido cómodamente con una bata suelta, y cuando se sentó en su cama, pidió una partida de ajedrez en lugar de ir directamente a la cama como solía hacer. Sacó el tablero de ajedrez, e Iván le pidió a Belsky que jugara una partida con él.

Lo que pasó después no está del todo claro. Algunos relatos dicen que Iván solo logró colocar las piezas de ajedrez en el tablero cuando el ataque se apoderó de él; otros informan que él y Belsky jugaron una partida completa y que Belsky ganó, lo que hizo que Iván se levantara de su cama en un ataque de furia irreflexiva. De cualquier manera, mientras Iván manipulaba las piezas, Belsky notó que parecía estar jugando con ellas un poco, como si no tuviera control sobre sus propias manos. Tal vez su discurso se torció un poco, también; su cara puede haber empezado a caerse, y entonces, con un repentino golpe que sorprendió a Belsky y a los otros asistentes en la habitación, Iván se desplomó. Cayó sobre la cama, su pesado cuerpo hizo que las almohadas rebotaran al chocar contra el colchón, un peso débil. Belsky se puso de pie de un disparo. Iván había estado desmayándose más y más a menudo a lo largo de los años, un síntoma de sus numerosas enfermedades, pero Belsky pudo ver que esta vez era diferente. El rostro del zar era ceniciento; su respiración era chirriante y sus miembros se movían salvajemente cuando el vómito empezaba a salir por la comisura de su boca.

El pánico llenó la habitación. Belsky se giró, gritó para que trajeran a los médicos y boticarios de Iván. La gente corría dentro y fuera entre las órdenes gritadas de Belsky mientras Iván jadeaba y se ahogaba en la cama, estrangulando los ruidos que goteaban de su boca floja. Los olores de los fluidos corporales llenaban el aire, seguidos por los aromas de las hierbas de los remedios que los médicos traían mientras se apresuraban a atender al zar. Desgraciadamente, sin ningún otro método para administrar la medicina excepto por vía oral, todo lo que los médicos pudieron hacer fue ayudar a Iván a asfixiarse más rápido. Después de unos minutos de horror, Iván dio un último y agónico grito y luego se detuvo. El silencio cayó en la habitación, y cuando el médico asistente levantó la vista, estaba pálido. Todo el mundo supo de inmediato que Iván estaba muerto. El primer zar de todas las Rusias, el terror de los boyardos, el azote de Nóvgorod, se había ido de este mundo para siempre.

* * * *

La causa de la muerte de Iván fue probablemente un derrame cerebral causado, tal vez, por el estrés de perder su juego de ajedrez. Las especulaciones de que fue envenenado por sus enemigos parecen ser infundadas; aunque una excavación e investigación de su cuerpo en el decenio de 1960 reveló una concentración bastante alta de mercurio en sus tejidos, este era un remedio común en la época utilizado para tratar las articulaciones artríticas. También se usó para la sífilis, lo que puede haber contribuido a su muerte también.

Iván había deseado convertirse en monje antes de su muerte de la misma manera que Vasili, su padre, pero fue tan repentino que nunca tuvo la oportunidad. En su lugar, un clérigo bien intencionado vistió su cadáver con el hábito de monje y lo rebautizó como Iona, dándole a Iván su deseo unos minutos demasiado tarde.

Miles de personas en toda Rusia se habrían alegrado al saber que Iván se había ido. Incluso su esposa María difícilmente podría haber sido culpada por sentir alivio por su muerte, y fue ciertamente un gran alivio para los boyardos que finalmente pudieron descansar de la persecución que habían soportado durante décadas. Cuando la noticia llegó al convento donde Daria, la antigua esposa de Iván, Anna, había sido enviada, debió sentir una sensación de satisfacción de que el hombre que la había maltratado tanto se había ido al fin. Pero una persona estaba completamente devastada por su muerte, y ese era su hijo Feodor. Entró en la cámara para encontrar a su padre allí tendido y luego cayó en la cama a su lado. Abrazó el frío cuerpo de su padre a su propia carne enferma, caliente y viva, y lloró inconsolablemente. Feodor puede haber sido un hombre adulto, pero tenía las facultades mentales de un niño; debe haber sabido de las atrocidades de su padre, pero todo lo que le importaba en ese momento era el hecho de que su padre se había ido.

Si Feodor hubiera sabido lo que vendría, habría llorado aún más. A pesar de un regente de cuatro consejeros que Iván había nombrado antes de su muerte, el reinado de Feodor iba a ser ignominioso; incapaz de hacer algo para detener el declive del imperio de su padre, Feodor no podía hacer otra cosa que observar cómo Rusia descendía en el caos.

En cuanto al propio Iván, su cuerpo fue puesto en un ataúd abierto para ser visto por las masas. A pesar de que había sido un terrible tirano, la vista fue suficiente para hacer llorar a muchos de su pueblo. Iván había sido zar durante treinta y siete años - la mayoría del pueblo ruso nunca había conocido a otro emperador, y temían el tiempo que estaba por venir.

El cuerpo de Iván fue puesto a descansar en la Catedral del Arcángel en Moscú. Su tumba estaba junto a la de su propio hijo, el zarévich Iván. Y allí yacen todavía, el padre que había matado a su hijo y el joven cuya muerte resultaría en el declive de Rusia, el último testamento de la rabia y la angustia que llenó la vida de Iván Vasílievich, zar de todas las Rusias.

Conclusión

Incluso después de su muerte, Iván continuaría causando controversia. Su propio nombre ha sido motivo de confusión; aunque ciertamente era lo que llamaríamos un terrible monarca según los estándares modernos, su nombre ruso es Iván Grozny. «Grozny» se traduce mejor en el uso original de la palabra «terrible»: inspirar terror. Fue solo después de que Iván fuera ampliamente conocido como «el Terrible» que la palabra «terrible» adquirió sus connotaciones modernas de maldad. «Grozny» se traduciría hoy en día como «temible» o «impresionante».

Sin embargo, no se puede discutir que el reinado de Iván fue una época de terror, una época terrible para la mayoría de los rusos, específicamente para las familias boyardas. El mal que cometió es casi incomprensible. Es difícil de evaluar exactamente cuántas personas asesinadas fue directamente su responsabilidad, pero ciertamente son miles. Tal vez decenas de miles. Tal vez más.

El sufrimiento que Iván tuvo que soportar de niño es igualmente incomprensible. Sus primeros años se caracterizaron por el lujo y la seguridad; de pequeño, habría sabido que un día sería el Gran Príncipe de Moscú y que tendría todo lo que pudiera desear. Sería la persona más poderosa a lo largo y ancho de Rusia. Pero la brutal muerte de sus padres sumió su vida en una perfecta oscuridad. Tratando desesperadamente de sobrevivir, de proteger a su hermano sordomudo, y de escapar de los boyardos guerreros que estaban tan decididos a maltratarlo, Iván era solo un niño pequeño y estaba completamente solo. Las cicatrices que ese tiempo dejó en su psique lo perseguirían para siempre, y cuando Anastasia murió tan horriblemente como lo hizo, dejó una herida abierta que nunca se curó del todo.

Y tampoco las heridas que Iván infligió a Rusia. Había causado que su economía se desmoronara durante su propio reinado, y el hecho de haber matado a su heredero llevaría a un desastre aún mayor unos años más tarde. El reinado de Feodor marcó el fin de la dinastía Rurikid. Murió sin hijos en 1598, y su hermanastro más joven, Dimitri, ya había muerto sospechosamente unos años antes. No había ningún heredero al trono ruso. Esto precipitó una era de tal caos y colapso económico que ni siquiera el reinado de Iván podía compararse. Se conocería como el Tiempo de los Problemas, y solo llegó a su fin cuando Mijaíl Romanov, descendiente de la familia de Anastasia, fue nombrado zar en 1613. Este fue el comienzo de la dinastía Romanov que duró un poco más de trescientos años.

Iván el Terrible era un asesino. Era un violador, un asesino, un dictador, un tirano, un monarca espantoso y, algunos dirían, un monstruo. Sin embargo, su monstruosidad provenía de la agonía, su violencia del miedo. Iván era una presencia aterradora y una plaga en la cara de la historia rusa, pero también era, sobre todo, un ser humano. Su historia no es una novela de terror, sino un cuento con moraleja sobre el poder potencial del abuso infantil. Cuando era niño, Iván era solo un niño pequeño que estaba siendo tratado mal. Pero de adulto, se convirtió en una amenaza para toda Rusia.

Vea más libros escritos por Captivating History

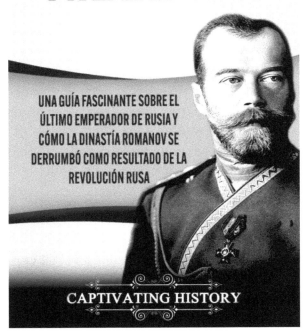

Fuentes

https://www.britannica.com/topic/Rurik-dynasty

https://www.ancient.eu/Kievan_Rus/

https://www.britannica.com/topic/Kievan-Rus

https://www.britannica.com/place/Smolensk-Russia

http://www.newworldencyclopedia.org/entry/Kievan_Rus'

https://www.encyclopedia.com/history/modern-europe/russian-soviet-and-cis-history/kievan-rus

https://www.britannica.com/biography/Ivan-III

https://russiapedia.rt.com/prominent-russians/the-ryurikovich-dynasty/ivan-iii-the-great/

http://www.newworldencyclopedia.org/entry/Teutonic_Knights#Coats_of_arms

http://www.newworldencyclopedia.org/entry/Alexander_Nevsky

https://www.britannica.com/biography/Saint-Alexander-Nevsky

https://warfarehistorynetwork.com/daily/military-history/lake-peipus-battle-on-the-ice/

Ilustración

https://commons.wikimedia.org/wiki/File:Chorikov.jpg#/media/File:Chorikov.jpg

https://www.britannica.com/biography/Vasily-III

https://www.revolvy.com/page/Vasili-III-of-Russia

Ilustración II:
https://upload.wikimedia.org/wikipedia/commons/7/71/Kolomen00.jpg

https://beautifulrus.com/elena-glinskaya-consort-of-moscow-regent/

https://www.revolvy.com/page/Elena-Glinskaya

https://www.historyofroyalwomen.com/elena-glinskaya/elena-glinskaya-poisoned-regent/

https://books.google.co.za/books?id=jfFaDwAAQBAJ&pg=PR128&lpg=PR128&dq=andrei+mikhailovich+shuisky&source=bl&ots=CJ-dZxSkcN&sig=ACfU3U3F-pVEmYqFxMaOldgF_ryVAor7fA&hl=en&sa=X&ved=2ahUKEwjzvY_SnYHhAhVROBoKHRZHAzwQ6AEwCHoECAAQAQ#v=onepage&q=andrei%20mikhailovich%20shuisky&f=false

Iván el Terrible, de Ian Grey:

https://books.google.co.za/books?id=NpkrDQAAQBAJ&pg=PT44&lpg=PT44&dq=andrei+mikhailovich+shuisky+murder&source=bl&ots=KY5q_qf862&sig=ACfU3U1i9wanqLGXrz4XbmchcjDOWwd6Mg&hl=en&sa=X&ved=2ahUKEwi8y8ekn4HhAhUNbBoKHbT3CtoQ6AEwBnoECAEQAQ#v=onepage&q=andrei%20mikhailovich%20shuisky%20murder&f=false

rushist.com/index.php/platonov-en/1852-childhood-and-youth-of-ivan-the-terrible

Ilustración IV: Wikipedia/Shakko

https://commons.wikimedia.org/wiki/File:Monomakh's_Cap_of_second_order_-_by_shakko_01.JPG

https://www.britannica.com/topic/Monomakhs-Cap

https://www.thevintagenews.com/2018/08/08/tsar-ivan-the-terrible-wifes/

https://www.encyclopedia.com/history/encyclopedias-almanacs-transcripts-and-maps/romanova-anastasia

https://owlcation.com/humanities/The-8-Wives-of-Ivan-The-Terrible

https://www.biography.com/people/ivan-the-terrible-9350679

https://www.britannica.com/topic/zemsky-sobor

https://russianlife.com/stories/online/the-great-moscow-fire/

https://www.revolvy.com/page/Fire-of-Moscow-%281547%29

http://www.unm.edu/~ybosin/documents/mos_fire.pdf

Ilustración V: Por Erik Charlton.

https://commons.wikimedia.org/wiki/File:St._Basil's_Cathedral.jpg

http://mentalfloss.com/article/76266/12-facts-about-saint-basils-cathedral

https://www.historytoday.com/archive/kazan-falls-ivan-terrible

http://www.rusliterature.org/the-account-of-the-illness-of-ivan-the-terrible/#.XJNBOrPv7ak

https://www.thevintagenews.com/2017/06/23/poisonings-drowning-a-nunnery-or-exile-life-as-one-of-ivan-the-terribles-eight-wives/

https://www.telegraph.co.uk/news/worldnews/europe/russia/1326387/Mercury-poisoned-Ivan-the-Terribles-mother-and-wife.html

https://www.medicalnewstoday.com/articles/320563.php

Ilustración VI: Por Peter d'Aprix-
http://www.galleryhistoricalfigures.com, CC BY-SA 3.0,
https://commons.wikimedia.org/w/index.php?curid=9808691

http://russiasperiphery.blogs.wm.edu/transcaucasia/general/the-marriage-of-ivan-iv-and-maria-temryukovna/

https://www.britannica.com/biography/Sigismund-II-Augustus

https://www.encyclopedia.com/history/encyclopedias-almanacs-transcripts-and-maps/kurbsky-andrei-mikhailovich

http://smarthistories.com/andrey-kurbsky/

https://erenow.net/biographies/ivantheterriblepaynerobert/13.php

https://www.itinari.com/aleksandrovskaya-sloboda-the-residence-of-tsar-ivan-iv-the-terrible-2dk9

https://www.britannica.com/place/Veliky-Novgorod

Reinado del Terror: Iván IV, de Ruslan G. Skrynnikov:

https://books.google.co.za/books?id=UP7dCgAAQBAJ&pg=PA367&lpg=PA367&dq=sack+of+novgorod&source=bl&ots=hetVOPfd7V&sig=ACfU3U093QRvRiO9iUlVgKUD6441D-xEBw&hl=en&sa=X&ved=2ahUKEwiA_NvO4KHhAhWUrHEKHWxqDUMQ6AEwFXoECAgQAQ#v=onepage&q=sack%20of%20novgorod&f=false

https://historycollection.co/day-history-ivan-terrible-orders-massacre-novgorod-1570/

http://web-static.nypl.org/exhibitions/russia/Translation/punishment.html

https://therussianreader.com/tag/massacre-of-novgorod-1570/

https://www.rbth.com/arts/history/2017/08/04/dog-headed-people-what-was-ivan-the-terribles-oprichnina-force_816772

https://www.britannica.com/topic/oprichnina

https://www.warhistoryonline.com/history/molodinskaya-battle.html

Iván el Terrible, de Maureen Perrie y Andrei Pavlov:

https://books.google.co.za/books?id=4YkABAAAQBAJ&pg=PT141&lpg=PT141&dq=1571+crimean+raid+on+moscow+oprichniki&source=bl&ots=6w0rua8uQF&sig=ACfU3U32NtH4iyosneLfQT_krKX964x2Eg&hl=en&sa=X&ved=2ahUKEwjwydeM-aHhAhVUuHEKHdZaB2MQ6AEwGXoECAgQAQ#v=onepage&q=1571%20crimean%20raid%20on%20moscow%20oprichniki&f=false

https://www.revolvy.com/page/Fire-of-Moscow-%281571%29

Ilustración VII: Por Г. Седов. G. Sedov (1836-1884) –

http://www.rusartnet.com/biographies/russian-rulers/rurikid/family-of-ivan-iv/wives/anna-koltovskaya

https://en.wikipedia.org/wiki/Tsarevich_Ivan_Ivanovich_of_Russia

http://enacademic.com/dic.nsf/enwiki/586081

https://people.howstuffworks.com/10-historically-pivotal-murders1.htm

Ilustración VIII: Por Ilya Repin - Obra propia, Dominio Público,

https://commons.wikimedia.org/w/index.php?curid=48908

http://www.historyofwar.org/articles/siege_pskov1582.html

https://www.ranker.com/list/crazy-things-done-by-ivan-the-terrible/machk?page=2

Los personajes más extraños de la realeza: Extraordinarias pero verdaderas historias de dos mil años de monarcas locos y gobernantes delirantes, por Geoff Tibballs:

https://books.google.co.za/books?id=nC-_CAAAQBAJ&pg=PT90&lpg=PT90&dq=Simeon+Bekboelatovitch&source=bl&ots=sWoW3PR_cD&sig=ACfU3U3fJ-a4708E5PBuK0MKab5KAk84-Q&hl=en&sa=X&ved=2ahUKEwiEnfyfyaThAhUeUhUIHa7yClkQ6AEwAHoECAgQAQ#v=onepage&q=Simeon%20Bekboelatovitch&f=false

https://www.revolvy.com/page/Marfa-Sobakina

https://owlcation.com/humanities/The-8-Wives-of-Ivan-The-Terrible

https://www.thevintagenews.com/2018/08/08/tsar-ivan-the-terrible-wifes/

https://www.thoughtco.com/the-oprichnina-of-ivan-the-terrible-3860937

Ilustración IX: No se ha facilitado ningún autor legible por máquina. Alex Bakharev asumió (basado en las reclamaciones de derechos de autor). - No se ha proporcionado ninguna fuente legible por máquina. Trabajo propio asumido (basado en reclamaciones de derechos de autor), Dominio Público,

https://commons.wikimedia.org/w/index.php?curid=734692

https://russianlife.com/stories/online/ivan-the-terrible-tsar-of-all-russias/

http://madmonarchs.guusbeltman.nl/madmonarchs/ivan4/ivan4_bio.htm

https://www.thefamouspeople.com/profiles/ivan-the-terrible-8647.php

https://www.revolvy.com/page/Ivan-the-Terrible

https://www.britannica.com/biography/Ivan-the-Terrible

https://russiapedia.rt.com/prominent-russians/the-ryurikovich-dynasty/ivan-iv-the-terrible/

https://www.lingualift.com/blog/ivan-the-terrible/

https://allthatsinteresting.com/ivan-the-terrible

Iván el Terrible, de Robert Payne y Nikita Romanoff:

https://books.google.co.za/books?id=x_qvZqDrqjMC&pg=PA371&lpg=PA371&dq=bogdan+belsky&source=bl&ots=Ggo5PBMFKj&sig=ACfU3U2KX01KGPhsxmhF2zRsbf7Up0Euxw&hl=en&sa=X&ved=2ahUKEwjOz_zlkafhAhVEPVAKHb0iCCUQ6AEwDnoECAgQAQ#v=onepage&q=bogdan%20belsky&f=false

Milton Keynes UK
Ingram Content Group UK Ltd.
UKHW010751190724
445797UK00004B/164